Ⓢ新潮新書

片山杜秀

KATAYAMA Morihide

歴史は予言する

1021

新潮社

初出：『週刊新潮』連載「夏裘冬扇」（2019年5月2日号～2023年5月4日号）。本文中、肩書は掲載当時とする。

はじめに

平成最後の冬のこと。『週刊新潮』にコラムを連載しないか。ありがたいおはなしを頂いた。しかも、山本夏彦さんの「夏彦の写真コラム」、藤原正彦さんの「管見妄語」の場所を僭越ながらも受け継ぐかたちだ。『週刊新潮』には昭和40年代から親しんでいるし、30代はよその週刊誌の原稿で主たる食い扶持を稼いでいた。毎週のコラム連載も8年くらいやっていたので、ペースを知らぬわけでもない。とにかく物書きとして光栄極まる。やりたいとかやりたくないとか、こちらが決める事柄ではあるまい。御縁という奴である。

とはいえ、昔、週刊誌に携わっていた頃は30代だった。時間の自由も今よりはあった。齢をとり、定職もある身の上で、毎週送稿できるのか。しかも時代が変わっている。即時的な情報のやり取りが当たり前になって久しい。新聞でさえ遅いと言われる。作曲家の伊福部昭さんの名言を思い出す。「1秒遅れの時計は永遠に合わない」。新聞も週刊誌も旬刊誌も月刊誌も、それらがアクチュアルでタイムリーに振る舞おうとする限り、いつも幾らか遅れてしまう。伊福部さんの言葉はこう続く。「しかし、止まっている時計は必ず合う」

確かに、止まった時計の針は、12時間に1回、日には2回も、短いとはいえ、正確に時を告げる。ならば、現在ばかりを書こうとしなければよい。むろん、週刊誌のコラムだから〝今〟がなければ仕方ないのだが、〝今〟を前に立てて時事性を気取れば気取るほど、時間差に負ける。ネットに書き込むのではない。印刷されて人目に触れるのは、作文してからどんなに早くても数日後。10日も半月もあとのこともある。ならばどうする？　止まった時計も持たねばならない。〝今〟を思いながら、描くのは遠い昔。〝今〟だからこそ思い出される遠い昔。〝今〟にこだわりながら、字数の上では昔に比重を掛けて綴ってゆく。そうすると、最新の情報で現在を描くつもりでやるよりも、掲載号が出る頃に、かえって鮮度が保たれているということはないか。日に2回、一瞬、ピタリと来ることがあれば、それで御の字だ。そんなつもりで、ちょうど平成から令和に移る春に連載を始めた。コラムのタイトルは「夏裘冬扇《かきゅうとうせん》」と付けた。

具体的にはどんなコラムか。やはり何事も始まりにその性質はよく表れる。「夏裘冬扇」の名の由来もいちおう末尾に記してある。何だか破格だけれど、2019（令和元）年5月2日号の第1回の原文を以下に引く。

令和から、元和《げんな》という元号を思い出した。字面が似ているせいもある。だが、2文字目が和なら、天和《てんな》や昭和など、他にもたくさんある。字面よりも決まり方なのだ。そこに連想させるものがある。

元和は慶長の次。慶長5（1600）年が天下分け目の関ヶ原。勝利した徳川家康が江戸に幕府を開くのは慶長8年。大坂城の豊臣氏はというと慶長20年5月に滅ぼされた。その頃の元号は、明治以降のように一世一元ではない。天変地異や政治的重大事があれば変わった。改元を決め、新元号を選定するのは、武家の時代になっても、相変わらず朝廷だった。

ところが家康は、徳川の威光が満天下に及ぶべきと考えた。徳川の力が、応仁の乱以来のあまりに長かった戦国乱世をついに終わらせた。日本の平和は「徳川の平和」。日本は「徳川の日本」。天皇、元号、何するものぞ。

家康は豊臣を滅ぼした直後、ただちに禁中 並《ならびに》 公家諸法度《しょはっと》を作った。その第8条は改元について。元号は、原則として中国で既に使用された元号から選ぶべきと定める。ただし、もしも条件が揃えば、将来は日本独自の元号であっても可とするとも記す。

とにかく家康は慶長20年に、「徳川の平和」をこの国に強く印象づけるため、すぐ改元したかった。中国で使用済みの元号を優先せよと定めたのは、意中の元号がそこにあったからだと思われる。元和だ。中国では漢代や唐代に使われている。徳川を大元《おおもと》に平和が定まるとの含みだろう。新元号と禁中並公家諸法度の制定作業は並行させられていた。慶長20年7月、元号は元和に。天皇を律する法度も効力を持った。

こうして家康は、朝廷を幕府の意のままに操って元号制定も為し得るのだと天下に示し、天皇の上位にはっきり将軍が立つイメージを、この国に作り上げた。

以来、「元号制定権力」は、江戸幕府から明治維新後の新政府に受け継がれ、現在に至っているのだろう。大正も昭和も平成も、そして令和も、政府の責任で考案され、制定された。その意味では同じである。だが、今回の令和は、新元号の見せ方が明らかに違っていた。

大正と昭和と平成は崩御とリンクした改元。国全体が喪に服していた。お祭り騒ぎには決してならない。為政者が喜々として新元号の意味を語り、「私が決めました」と言わんばかりに露出するということは、ありえなかった。

でも、今年の4月1日、すなわち「元号を改める政令」が公布された日は祭りだった。「元号制定権力」の派手なパフォーマンスがあった。「天皇の元号」というよりも「政府の元号」であるかのように、感じられた。

この国に「第二の江戸幕府」や「第二の徳川家康」が現れた。令和は強力な幕府的政治の時代になるのではないか。私のひとつの妄想です。

その令和の出典は『万葉集』だという。ならば、令和時代のコラムのタイトルも『万葉集』から取ろうか。

「とこしへに夏冬《なつふゆ》行けや裘《かわごろも》扇放《はな》たぬ山に住む人」

柿本人麻呂の歌とされる。「仙人《やまびと》の形を詠む」と題詞がある。仙人は夏にも冬にも獣の厚い皮のコートと扇子の両方を持っている。そういう意味だろう。夏にも暖房、冬にも冷房の用意を欠かさない。

さすが仙人！　浮世離れした行動だ。調子っ外れもなんのその。斜め目線で妄言を述べるコラムの題名に相応しい。だが歌のままでは長い。そこで漢字だけに縮めて「夏裘冬扇」はどうだろう。

四字熟語の「夏炉冬扇《かろとうせん》」や「冬箑夏裘《とうそうかきゅう》」に近くて紛らわしいとも思う。が、『万葉集』が出典だから、いいじゃないか。
よろしくお願いします。

改元の時期は『万葉集』が話題だった。同歌集には「梅花歌三十二首并《ならびに》序」という漢文が載る。天平2（730）年の正月、大宰府の大伴旅人の邸で梅の花見をして宴を開き、和歌を詠むという、まこと大陸趣味の催事が営まれたときの和歌のセットの巻頭に付された序文で、大伴旅人か山上憶良の作と推測されているが、そこに「初春令月、気淑風和」の一節がある。新元号の由来だ。旅人か憶良かというなら、こちらは人麻呂で行くか。それは本当なのだけれど、実はそれだけではない。この歌の題詞の「仙人の形を詠む」を素直に受け取ってよいのかとの議論がある。厚い裘と薄い扇子を兼ね備えているのは、仙人というよりも蝙蝠ではないか。毛もふさふさで裘を着ているようだし、翼手はまるで扇子ではないか。コラムのタイトルを蝙蝠に因ませたい。獣とも鳥ともつかぬ漂うような連載にしたいから。それで蝙蝠を考え、『万葉集』に引っ掛けて令和の初めに合わせたいとも考え、どうしても「夏裘冬扇」にしたいと思った。まこと時事にとらわれていて、何年か経ってしまえば、どうでもよく思えもする。合わせようとして合わなくなる時計の一例かもしれない。でも書き手は「夏裘冬扇」を「蝙蝠の言葉」と内心で読み替えては、けっこう気に入っている。

そうやって200回以上積み上がり、セレクションで新書に、という展開に。これまたありがたし。どう構成して、どれを選ぶか。本人がこだわりを示してしまうとまた違ってくるが、やはりいちばんの読者に丸投げするのが吉。連載当初からおよそ4年も担当して頂き、いつもご意見を賜っていた長井至幸さんにお任せした。なるほどの7章に区分けされ、それぞれは至らぬものなのだろうが、本人には思いのある短文が勢揃いしている。ひたすら感謝。

はて、時を経て読むに堪えるか。あとはみなさまに委ねます。

歴史は予言する……目次

Ⅳ　災厄とどう向き合うか――コロナ禍と日本的心性　135

コサック・マッチョ・大統領

北の幻——北樺太石油利権と日ソ大同盟

逆回転するロシア・ソビエト史

悪魔主義・世の終わり・Z氏

バフムトとは俺のことかと長沙言い

I

天皇制はどう変わるのか——人間的な、余りにも人間的な

決められる天皇と決められない天皇

昔、岩倉具視《ともみ》は５００円札で、伊藤博文は１０００円札。板垣退助はというと１００円札だった。

板垣は自由民権運動の大立者。戦後民主主義と相性がよい。戦後すぐ、御札に登場した。でも御札は額の多い方が嬉しい。肖像にも、額面ゆえの格の違いが、どうしても生じる。岩倉や伊藤は、額面から換算すると、民主主義の英雄、板垣の、5倍も10倍も偉い。なぜか。この二人が、明治この方の国のかたちをよくデザインしたからだと思う。「天皇の国、日本」のかたちを。

岩倉は公家だった。天皇が征夷大将軍的存在に再び押し退けられることのない国作りを目指した。伊藤は長州藩士だった。天皇を担ぎつつ、自分たちの権力が長続きする国を望んだ。

そのためにどうする？　天皇の偉さを、盤石の重みをもって、国民に刷り込まねば！

その決定打が、天皇から国民に一方的に下しおかれる形式を取った、大日本帝国憲法だった。岩倉と伊藤のアイデアの結晶と言ってよい。第1条は「大日本帝国ハ万世一系ノ天皇之ヲ統治ス」。

だが、それだけでは駄目だ。国民を天皇で縛るだけでなく、天皇を法で律するべきだ。維新の元勲たちには苦い記憶があった。幕末の動乱に大活躍してしまった孝明天皇のことである。この帝は何としても攘夷を実行せよと強く意思表示した。孝明天皇が、現実には不可能な西洋諸国打ち払いを唱え続けたゆえに、幕末の大混乱が生じたとも言える。そして、もしも天皇が先頭に立って攘夷大戦争を敢行していたら、きっと敗れ、天皇は責任をとらされて、天皇制の存続に関わったかもしれない。天皇を滅ぼしうるのは、反天皇主義者よりも、しばしば天皇自身だ。

なぜ、そうならなかったか。孝明天皇が突然死したからだろう。そして、周囲の言いなりになってくれる、まだ子供の明治天皇が即位したからだろう。

親政に失敗すれば天皇制崩壊の危機。岩倉は孝明天皇の再来を恐れた。伊藤はというと、そのうち大人になる明治天皇の政治参加を恐れた。自分たちが勝手をできなくなるからである。

「男は黙って〇〇ビール」。昔の三船敏郎のCMだ。それと同じ。「天皇は黙って御名御璽」。岩倉も伊藤も安心できる落としどころであった。

大日本帝国憲法は、表向きには天皇に大権を集中する。だが解釈と運用で、天皇本人をなるたけ黙らせておく。維新政府の戦略であった。でも、なお心配が残る。たとえば、天皇が、裁量できることの少なさに退屈して退位を望み、世間が、現政権への天皇自身の不満がそこに込められていると信じたとする。明治国家はたちまち正統性を疑われる。また、退く天皇が、後継ぎをどの皇子にしたいと選り好みしたとする。反対勢力があれば、南北朝時代の再現になりかねない。対策は、天皇の自由意思では退位や後継ぎの指名をできなくすることだ。

崩御するまで辞めさせない。皇位継承順も法で決める。皇室典範が、伊藤の主導で作られた所以である。

岩倉と伊藤の思想は、敗戦を超えて延命してきたと思う。「象徴天皇も黙って御名御璽」。「辞められません、崩御するまでは」。肝心要はずっと同じだった。

だが、革命は起きた。今回の代替わりはとてつもなく新しい。日本はきっと大きく変わる。吉と出るか、凶と出るか。（2019/05/16）

天皇はヴィオラになれるか

ヴィオラ的な天皇。新天皇の目指すところではあるまいか。

新天皇はヴィオラを愛奏する。その楽器の魂を、令和元年5月1日の「即位後朝見の儀の天皇陛下のおことば」に感じた。特にそう思ったのは次のくだり。

「上皇陛下のこれまでの歩みに深く思いを致し、また、歴代の天皇のなさりようを心にとどめ、自己の研鑽に励む」

ヴィオラは、主役としての独奏楽器ではなく、調和のとれたアンサンブルを生む脇役として発達した。ヴィオラに先行した仲間は、ヴァイオリンとチェロ。前者は高音、後者は低音。共に独奏楽器としての華を持つ。が、共演するとなると、二つの楽器だけでは潤いを欠く。よく鳴る音域が離れているうえ、音色も、ヴァイオリンは軽く、チェロは重い。それから、西洋音楽はドミソのような三つの音のハーモニーを基本とするので、ヴァイオリンとチェロの二重奏だと落ち着きが悪い。真ん中を埋める第三の楽器が欲しくなる。そこにヴィオラが生まれた。

振り返れば、平成の天皇は、自らの個性を高音域で奏で続けるヴァイオリニストだった。ご自身が実際に得意とされる楽器はチェロなのだが。

平成の天皇は、昭和20年の敗戦を多感な少年期に体験した。翌年元日には父たる昭和天皇が「人間宣言」をした。天皇はもはや神ではなく一個の人間。その人間が、国民の総意に基づいて国民統合の象徴でいられるにはどうしたらよいか。天皇が国民から、人間としての信頼を、不断の行いの積み重ねによって獲得し続けるほかあるまい。戦後民主主義と両立可能な新たな天皇像を求め続ける旅。平成の天皇の生きざまであった。

つまり、平成の天皇には、昭和20年で天皇の歴史を切る意識が目立った。歴史が足元からつながるものなら、それは低音のチェロにもたとえられる。平成の天皇はその低音を断ち、未来に向かって独走した。その意味でヴァイオリン独奏的なのである。

新天皇はそんな父の歩みを尊重する。「上皇陛下のこれまでの歩みに深く思いを致」す。だが、そのまま継承するとは言わない。「歴代の天皇のなさりよう」を、父の道に並立させようとする。

そういえば、平成29年2月の記者会見で、当時の皇太子である新天皇は、戦国時代の後奈良天皇に触れた。後奈良天皇は飢饉や疫病の流行を憂えて、自ら「般若心経」を写し、民の平安を祈った。新天皇は「こうした先人のなさりようを心にとどめ」たいと、そのとき述べた。戦後民主主義、人間天皇、平和国家日本といったワードを強調しすぎない。天皇の民への祈りを、古代や中世からも意味づけようとする。

ヴァイオリンもチェロも立て、両者のつなぎ役に自らの道を求める。まさにヴィオラの振る舞いだ。敗戦体験を根底に持つ父のラディカリズムをなぞっても様にならない、高度成長期育ちの世代の、ひとつの選択でもあろう。

だが、ヴィオラはとても困難な楽器でもある。求められる性質からして、サイズもヴァイオリンとチェロの真ん中がちょうどよい。しかし、それでは肩に乗せるには大きすぎ、膝で挟むには小さすぎる。結局、肩に乗せる方に進化し、最適サイズよりも小ぶりに定まった。ゆえに、満遍なく良い音を奏でるのは、名手にとっても至難。ヴァイオリンに呑まれるか、チェロに足をすくわれるか。媒介の道は茨の道だ。

新帝のヴィオラがよく響くか否か。令和の運命はそこにかかるだろう。（2019/05/23）

8月15日の菊花に寄せる幻想

「桜の樹の下には屍体が埋まっている！」。梶井基次郎の短編小説の書き出しである。

令和元年8月15日の全国戦没者追悼式。日本武道館の大舞台一杯に飾られた、菊の花を眺め、梶井の文句を思い出した。

昭和34年、大映が『海軍兵学校物語　あゝ江田島』という映画を作った。戦後14年。まだまだ若い元海軍軍人が、かつての学び舎、海軍兵学校の所在地だった広島の江田島を訪ねる。江田島の名所、古鷹山の斜面に立って、眼下に旧校舎を望む。

すると、山に咲く野花の陰から、靖国に行った戦友たちが、白昼堂々、次々と立ち現れる。一瞬、怪談映画かと思う。彼らは、元軍人に微笑みかけながら、この映画のために音楽担当の木下忠司が作詞作曲した、いかにも昭和10年代風の、明朗さと悲壮美をないまぜにした軍歌調の主題歌を熱唱しだす。

花の陰には死者がいる。花の咲くのは死者の念。武道館の菊の陰に、どれだけの死者が集っていたか。オカルトではない。そういう物語を信じなければ、追悼式は本気には成立しない。

近代国家は国民軍の戦没兵士を祀る。明治政府も靖国神社を設けた。靖国の紋は菊紋だ。昭和19年に没した、幕末生まれの神道思想家、今泉定助は、その靖国について面白い解釈をした。

今泉の理屈はこうだ。国のために身を捧げると神様になる。神社には遺された親が参る。死んだ子は神、生きる親は人。だが、子は神になっても親を敬う。親は神になった子に頭を垂れる。拝み合う。それが靖国の世界だ。

今泉は、天皇の靖国親拝の意味も、この論法で解く。天皇は現人神《あらひとがみ》なのに、靖国に出向き、神になった天皇の赤子を拝む。天皇が国民を拝む。これは革命的だ！　でも、戦没者も天皇を敬し奉っている。拝み合う関係が生まれる。

結局、今泉の言いたいのはこういうことだろう。靖国では、命を捧げた死せる国民と、遺族に代表される生きた国民、そして天皇とが、互いに拝み拝まれる三角形をなし、フラットになる。対等だから、言いたいことを言い合ってもいい。天皇がおかしければ意見してもいい。天皇も反論してよい。それこそが日本流の自由と平等だ！

そんな今泉に傾倒したのが、海軍大佐の小園安名だった。彼は師の教えを突き詰め、昭和20年8月15日に厚木航空隊を率いて反乱を起こした。日本は不敗。ポツダム宣言受諾の聖断は間違い。背いて意見するのが正しい。

小園の主張はぶっ飛んでいたかもしれない。が、彼は玉音放送をものともせず、言いたいことを言った。言われた通りにすればよいとは、少しも思っていなかった。それはそれで尊い。

戦後、靖国神社は国を離れ、天皇親拝も、今のところ、昭和50年で絶えている。全国戦没者追悼式が毎年行われるようになったのは、昭和38年。靖国の近所の日本武道館で開催されるようになったのは、昭和40年。国家的追悼が1年365日の神社空間から、1年に1日の世俗空間に移行したと言うべきか。菊の花でつながれてはいるが。

とはいえ、今泉を意識して言えば、その空間は、生者と死者が胸襟を開いて語り合う場所であるべきだろう。その意味では、本年の追悼式で菊の花を前にした新天皇の言葉に、やや不思議の念を覚えた。平成の天皇の昨年までの言葉と、ほとんど同文ではないか。思いを踏襲されたのであろう。だが、人が変わり、胸襟を開けば、思いは同じでも、前の人の言われた通りにはならず、修辞は自ずと変わってゆくのではあるまいか。神は細部に宿る。（2019/09/12）

ジミーとマークとメリーとジュリー

藤島泰輔は作家。代表作は『孤獨の人』。上皇陛下の若き日々、学習院での学生生活の周辺を描く。作家は学習院で上皇陛下と同学年。御所に招かれもした友人だった。1956（昭和31）年に刊行され、大反響を呼び、映画化もされた。

『孤獨の人』は皇太子殿下をどう描く？　題名通りだ。戦後民主主義の時代に相応しく、努めて人間的に振る舞おうとするのだが、実際は難しい。将来の象徴なのだから。皇太子なる偶像を演じなければならない。真情の吐露はやはりタブー。殿下は孤独を背負う。

小説の終章。藤島とダブる主人公、千谷吉彦は、殿下の誕生祝いの席で殿下から酒を注がれ、感極まり、心の内で叫ぶ。「(偶像でない貴方が好きなんだ。前からずっと好きだったんだ)」。さらに続く。「(貴方は犠牲者なんだ。だがなぜ諦めるんだ。諦めの一生というものが何の意味を持っているのか)」。

もっと剝き出しの人間になれ。この藤島の痛烈な批判への応答が、上皇陛下の人生であるのかとも思う。

では、藤島は上皇陛下のその後を支持したか。そうではなかった。彼の中の千谷吉彦はどこかに消えた。三島由紀夫の自決後、三島の立場を受け継ぎ、天皇は人間的であるべからずと、主張した。藤島は三島を畏敬していた。『孤獨の人』の序文も三島の手になる。

三島事件の翌年、藤島はこう書いた。

「虚妄に過ぎないと思われる戦後日本の民主主義の中で、殿下が余りにも普通の人間であろうと努力されて来たことが私には空虚しく感じられます。私たち、学習院で共に育った人間たちが、寄ってたかって殿下を普通の人にしてしまったのではないか、もし、そうだとしたら、その原因は何だろう」

藤島は回想する。敗戦翌年の春、皇太子殿下は学習院の中学に入学した。しかし、御不快とのことで、初登校は6月28日まで延びた。その日、藤島らは校庭でお出迎えした。警備は日本の警察。勝手にそう思いこんでいた。が、やってきた車列を観て校庭はざわめいた。殿下の車は米軍に護られていた。

英語の授業は、皇太子殿下の家庭教師、アメリカ人のヴァイニング夫人が担当した。夫人は生徒に英語名を付けた。殿下はジミー、藤島はマーク。殿下の周りの生徒は、アメリカ流の自由主義に過度に染め上げられていった。

　すると、藤島は反米主義に転じたのか。違った。親米のままだった。アメリカ流のショー・ビジネスを日本に導入しようと、弟と共に奮闘していたロサンゼルス生まれのメリー喜多川と結ばれもした。滞米生活も長くした。

　でも、藤島は、本人がアメリカに近づくほど、皇室の自由な振る舞いに敏感になった。日本はますますアメリカ化してゆき、日米の区別は皇室の伝統の有無だけになろう。その皇室さえアメリカの家庭同様になれば、日本は消える。逆に言うと、皇室の伝統さえ残れば、日本は安心。藤島の理屈だった。

　今年は藤島の没後22年。上皇陛下は、『孤獨の人』の批判に応えるかのように平成を生きられ、ジャニーズ事務所の会長には藤島未亡人、社長には藤島の娘、藤島ジュリー景子が就任した。11月9日には新天皇即位を祝う「国民祭典」が皇居前広場で開かれる。目玉はジャニーズ事務所所属の嵐による祝典歌だろう。催事の演出は、三島由紀夫の盟友で、藤島とも近しかった作曲家、黛敏郎の子、黛りんたろう。

　娘や息子が親と立場を同じくするわけではない。が、この式典に私は些かの象徴的意味を感ずる。そういえば、藤島泰輔も黛敏郎も改憲論者だった。（2019/10/31）

人間的な、余りにも人間的な皇族には、寛容の心を！

皇室は大変ではないだろうか。皇位継承者が少ない。疫病禍で表にも出にくく存在感を示せない。そうした即物的、形式的な面での大変さもある。だが、もっと本質的な大変さもあろう。皇室についての戦後の当たり前が通用しにくい世の中になってきている。しかし新しい当たり前はなかなか見えてこない。

たとえば秋篠宮文仁親王は令和２（２０２０）年11月に、戦後的常識に照らし至極当たり前のことを言った。日本国憲法第24条の「婚姻は、両性の合意のみに基《もと》づいて成立」するというくだりを前提に、長女の結婚につき「本人たちが本当にそういう気持ちであれば、親としてはそれを尊重するべきものだ」と述べた。親の賛成反対は関係ないということだ。

戦後皇室の道は、敗戦直後のお正月の、昭和天皇の「人間宣言」に示されたと思う。そこで昭和天皇は、自らを神話や宗教に依拠する現人神でなく国民と同じ一個の人間と規定した。

天皇がそうなら、他の皇族はもっと世の人々と同じだろう。婚姻についてもそうだろう。相手がたとえ危険な革命家でも、当人同士が望むなら誰も止められまい。しかも今回の当事者は内親王。現制度では結婚したら皇族から外れる。ますます国民と同じ一個の人間ではないか。あとはその婚姻が皇室と国民との間の相互的な信頼を育てるか否かだけれども、そこに文仁親王の苦悩がむきだしになったのが11月の記者会見だった。とても人間的だった。

そう言えば文仁親王は、平成30（2018）年11月の記者会見でも、戦後的常識からしての正論を主張していた。新天皇の即位儀礼の大嘗祭を国費で賄うのは如何なものか。天皇が私的に行うものとして、皇室の私費の範疇から支出すべきではないか。そう発言した。昭和天皇は「人間宣言」で宗教と皇室の公の関わりをチャラにした。戦後憲法も政教分離の原則を掲げる。大嘗祭はやはり神道的儀礼だろう。公費で行えば戦後民主主義と矛盾するのでは？

ところが親王のどちらの発言も国民の支持を広く得ておらぬようだ。何百万もの命を現人神に捧げさせた反省ゆえの道徳的リゴリズムに基づく〝大嘗祭発言〟は国民にほとんどスルーされた。皇族も人間的に生きたいように生きるのが戦後の自由な世の中で、恋愛もまた自由だから、人間的な、余りにも人間的な、時に奔放すぎる皇族が現れたとしても、同じ人間として寛容に見守り放置しておくのが自由主義らしいという話にも、なかなかならない。

戦後皇室を支えたのは、昭和天皇の「人間宣言」から必然的に導かれる、歴史に懺悔する道徳的リゴリズムと、言わば〝人間らしくふるまう主義〟の二枚看板だったと、私は思う。その両方が時の流れの中で、あるいは〝行き過ぎた事例〟によって働かなくなってきているとしたら、今後の皇室はどこに向かえばよいのか。皇族の数よりも、こちらの方が難儀ではないか。

三島由紀夫の小説『英霊の聲』での昭和天皇に対する呪言《じゅごん》というか恨み節が思い出される。「などてすめろぎは人間《ひと》となりたまひし」。令和こそが、人間となった皇室の本当の試練の時代なのかもしれない。「象徴としての天皇像を模索する道は果てしなく遠」いと上皇は平成の末に述べた。三島の呪いに負けず、果てしなき道を進み賜え。(2021/01/07)

この人を見よ！　北白川宮能久親王の巻

皇族の結婚相手に問題あり！　令和の御代の話ではない。明治維新から間もない頃の出来事である。

北白川宮能久《よしひさ》親王という方が居られた。弘化4（1847）年だから、黒船の浦賀来航の6年前、伏見宮家に生まれ、仁孝天皇の猶子となり、皇位継承権を与えられた。孝明天皇の弟、明治天皇の叔父として遇されることになった。そして安政5（1858）年、11歳の年に京の都から江戸の上野の輪王寺へ。維新前年の慶応3（1867）年、東叡山寛永寺の貫首《かんじゅ》となる。

寛永寺の貫首は徳川家康を祀る日光東照宮を統括する。上野の山には歴代将軍の墓所もある。貫首はまさに将軍家の守護神。その役に幕府は長く皇族を招き続けた。西国大名が朝廷と結んで幕府に挑戦してくれば、足利尊氏が北朝をたてたのと同じことを徳川将軍も為す用意がある。そのために上野の山に常に皇族が必要だったのかもしれない。

そんな徳川の深謀遠慮をどこまで承知していたのか。能久親王は、幕府の側に立つ皇族として、明治天皇の威を借る〝官軍〟に負けるものかと、上野の山で彰義隊を応援し、彰義隊が敗れると幕府海軍の軍艦に乗って江戸を脱出。会津藩や仙台藩に迎えられ、奥羽越列藩同盟の盟主の地位についた。本当に南北朝時代が再現されるかとも思われた。

だが、奥羽越列藩同盟は長持ちせず、能久親王も新政府軍に捕えられ、謹慎させられ、親王の位も奪われた。問題はその後である。天皇中心の国づくりを始め、国民に皇室尊崇の念を植え付けようというときに、新政府が大物の皇族を虐げていては宜しくない。すぐに謹慎を解かれた能久王は、遠くで自由にしていて貰うことになった。明治3（1870）年、ドイツ留学に出発。そのまま行きっぱなし。ドイツに居ながら、陸軍軍人に任じられ、北白川宮家の当主にされた。

そうやって渡独7年目を迎えた明治9（1876）年。北白川宮は新政府に爆弾を投げる。ドイツ貴族のベルタ・フォン・テッタウと勝手に婚約したのだ。しまった、放置しすぎたか。皇族の国際結婚など前代未聞。しかもお相手は未亡人という。さすがにそれはないだろう！　皇室の尊厳にかかわる。かくも勝手な宮様があらわれては、国民が皇族をなめてかかるきっかけとなり、天皇制国家の将来設計が躓《つまず》きかねない。やめさせなくては！　だが北白川宮は抵抗する。欧州のマスコミにリーク。大々的に報道された。

三条実美《さねとみ》や岩倉具視は激怒する。西南戦争のさなかの明治10（1877）年の夏、7年ぶりに強制帰国させられた北白川宮はベルタを諦めると約束し、そこで取引があったのか、翌年、親王の位に復した。

この事件の影響があったのだろう。明治22（1889）年に制定された旧皇室典範は、皇族の結婚相手を男女とも、同じ皇族か「勅旨ニ由《よ》リ特ニ認許セラレタル華族」に限り、しかも嫁を取るにも嫁に行くにも、天皇と内閣の許しが必要と定めた。天皇の神としての権威を傷つけるのに刃物は要らない。皇族の身分を弁《わきま》えぬ結婚がひとつあれば十二分。そのリスクを如何に抑えるか。天皇制国家の重要課題になった。

親王に戻ってからの北白川宮は陸軍軍人の勤務に精励した。明治28（1895）年には、日清戦争の結果、日本に割譲された台湾を平定すべく出征。しかし、現地で熱帯の伝染病にやられた。マラリアである。台南で没した。

天皇に抗する宮家、厄介払いされるかのような長期海外生活、結婚騒動、皇族の〝不自由恋愛〟の近代的起源、ついでに疫病。北白川宮能久親王の波瀾万丈の生涯に、今日の有様が不思議なまでに濃密に凝縮されきっているのです。（2021/11/04）

中岡艮一の伝説——原敬暗殺100年に寄せて

100年前の1921（大正10）年11月4日の19時台、原敬首相は、東京駅で凶刃に倒れた。犯人は18歳の青年。中岡艮一《こんいち》という。父は東京市の官吏だったが早世し、家計は苦しく、艮一は高等小学校を中退して、事件のときは山手線の大塚駅で転轍手をしていた。裁判では、世を儚《はかな》んだ貧しい若者が、さしたる政治的意図も背景もなく犯行に及んだと、結論づけられた。無期懲役が申し渡された。

けれど、いろいろと異説もある。何しろ原の暗殺は、いわゆる宮中某重大事件の最中に起きたから。大正の皇太子、のちの昭和天皇の妃に、久邇宮良子《くにのみやながこ》女王を迎えるべく、宮中では準備が進められていた。そこに元老の山縣有朋が横槍を入れた。久邇宮家には色覚異常の遺伝が認められるので不適格だという。が、それは恐らく表向きの理由だ。世は大正デモクラシー。政党や労働者ばかりでない。皇族も自由に発言し、政府に物言いをつけはじめていた。山縣から見ると、物言う皇族の筆頭こそ、良子女王の父、久邇宮邦彦《くによし》王である。皇太子の岳父になれば、積極発言を繰り返し、国の乱れにつながらないか。山縣にはその種の恐怖心があったようだ。原首相は山縣に味方する。婚約までは認めるが、解消含みで、あとは先延ばし。そんな姿勢だった。

もちろん、山縣と原の踏むブレーキは、猛烈な摩擦を生んだ。皇室の慶事を妨げることは、たとえ元老や首相でも許されない。原内閣の宮内大臣、牧野伸顕や、原の2代前の首相の大隈重信は結婚推進派だった。

そして実は、中岡良一には、牧野とも大隈ともつながる線があった。良一の母方の伯父に島連太郎という人が居た。東京で大きな印刷会社を経営し、良一はそこで働いたこともあり、原暗殺のときには連太郎の娘の縫子に恋い焦がれていた。その連太郎は人生の恩人として、明治の半ばに逝った吉田健三という商人を崇敬し、良一も影響されていたらしい。健三は、戦後の大首相、吉田茂の養父であり、吉田茂は牧野伸顕の娘婿である。ほら、つながるでしょう！　でもちょっと遠いか。

では、こちらの筋はどうだろう？　良一の父方の祖母の弟に中村彌六という代議士が居た。大隈重信に近しかった。原敬暗殺当時はもう政界を退いていたが、なおも生々しい政治課題を抱えていた。中村は、1916（大正5）年頃、当時の大隈内閣で外務参政官を務めていた柴四朗や、在野の右翼の五百木《いおき》良三と組み、辛亥革命下の混乱する中国で、満蒙独立運動を支援した。柴は、東海散士という筆名で、政治小説『佳人之奇遇』を書いた人でもある。柴らは、そのための秘密工作資金を大倉財閥の大倉喜八郎に出させた。が、結果はさんざん。でも大倉は、国策に協力して大金を投じたのだから、何らかの大陸での利権を寄越すべしと、引かない。柴らは困る。原首相に善処を期待するが、原は前々内閣の秘密工作のことなど無視。ここに暗殺の動機が！　おまけに一味の五百木は、宮中某重大事件では山縣と原を攻撃する急先鋒。艮一は大叔父の中村を心の支えにしていたとも伝えられる。さらに艮一の裁判では、艮一の職場の同僚が、艮一から原暗殺への協力を依頼され、芝公園13号地に来いと言われたと、証言している。そこは柴四朗の住所だ。なぜか判事も検事もスルーしたけれど。

読売新聞の長文連記者が突っ込んで取材し、想像力を逞しくした話だが、荒唐無稽とも思われない。暗殺事件の肝は、やはり皇室の結婚問題と中国問題なのか。1世紀後にも変わらずに繰り返されているテーマでございます。（2021/11/11）

大陸の男系、太平洋の女系

司馬遼太郎は『草原の記』にこう書く。「いまではモンゴル語がウラル・アルタイ語族の代表的な言語である。むろん、日本語もその仲間に入る。私どもがはるかな草原を恋うのは、血がそのようにさせるのではないか」

司馬は戦時期の大阪外国語学校でモンゴル語を専攻し、日蒙の言語は兄弟と教え込まれた。そこに生まれた、草原に限らず広い世界を大胆に駆け巡ってこそ日本人という、騎馬民族シンパの世界観が、司馬文学の背骨を成した。

モンゴル語や満洲語や朝鮮語を、冠詞や前置詞を持たぬことなど、共通点の多いゆえに同族語と考えたのは西洋の言語学者たちで、そこに日本語も入ると言いだしたのも、まずは西洋人だった。そこに日本の学者も同調しだしたのは、明治30年代以降だろう。歴史学者、白鳥庫吉《くらきち》らが中心だ。何しろ日露戦争から韓国併合の時期。その種の研究は、満鉄や陸軍に後押しもされた。漢民族の中国語がアルタイ語族と無縁とされたのも政治的に都合が良かった。中国を外し、朝鮮や満洲やモンゴルを日本の側に引き入れることへの文化的理論武装ができたからである。

が、この筋書きには弱さもあった。仲間のはずの言語との主要語彙の類縁性が今ひとつ。たとえば太陽はモンゴル語ではナル、日本語だとヒ。まるで似ていない。

ここでクイズです。和田弘とマヒナスターズのマヒナとは？　正解はハワイ語で月の意。ハワイ語はオーストロネシア語族に属する。太平洋の島々や台湾先住民やインドネシアの諸語は皆仲間だ。トンガ語でも、マヒナは月で、ヒナは白く光る意。ヒナはシナやチナに音が変化する例も多く、光る、燃える、そして太陽の意を表す言葉として、オーストロネシア語族の諸言語に頻出する。

お日さまの語源を見つけたり。きっと日本語は南洋諸語の眷属《けんぞく》！　この説が注目されたのは大正末期から昭和初期。第一次世界大戦の結果、戦勝国日本は、サイパンやパラオやトラック等々、ドイツの植民地だった南の島々を統治するようになった。海軍は仮想敵国をアメリカとした。日本の目が大陸や半島から太平洋に向いた。そのとき学者たちは太平洋こそ日本人や日本語を生んだ海と言いたくなった。

その中に海軍軍人から言語学者に転じた松岡静雄がいた。民俗学者、柳田國男の弟である。彼の言語学では、たとえば日本語のチは、高天原《たかまがはら》を支配する神秘力、つまり天照大神の太陽の力を根源的には意味し、フィジー語でツイが王の意であるのと繋がるという。母の乳、父、父母から受け継ぐ血も、このチに由来する。そう松岡は説く。ヒはチに通じるという、オーストロネシア語族の言葉にも見られる音の変化を踏まえれば、血と日は重なろう。もしかして、日嗣《ひつぎ》の御子《みこ》の血統が一系で伝えられてこその日の本の国という信仰の生まれた所以は、そこにあるのかもしれない。

するると、天照大神という太陽の女神の血は、父系と母系のどちらを重んじるのか。司馬遼太郎は、同じ日本でも、東国は武士団の故郷だけあって、モンゴルの騎馬軍団と同じく絶対の父の存在と血筋を重んじ、対して西国は、温暖な海の民族の暢気な暮らしの気風が入り、父の強権を退け、母系を基調とし、緩やかさを重んじる伝統があると言った。松岡静雄も、南洋では母系の観念が重いと強調していた。

陸軍か海軍か、アジアか太平洋か、騎馬民族か海洋民族か、集団主義か個人主義か、男系か女系か。かたちを変えて繰り返されてきた問いが、未来の皇室像にも及ぶ今日この頃。相討ちと共倒れだけは絶対に避けねばなりません。(2022/01/06)

中川宮の伝説――山縣有朋没後100年に寄せて

安倍晋三元首相が議員会館の自室の机上に遺した読みかけの本は、政治史家、岡義武の古典的名著『山県有朋』。国葬での弔辞で菅義偉前首相が触れ、有名になった。維新の元勲として長く権力を保った長州人、山縣の伝記は、今後の政治家としての自らの方向に思いを巡らしていたろう、長州の血を引く安倍氏の心に何か響いていたに違いない。

山縣が満83歳で没したのは1922（大正11）年2月1日。本年は没後100年。でも大往生とは違った。20年から政治的闘争を仕掛け、一敗地に塗れたばかりだった。宮中某重大事件と呼ばれる。後の昭和天皇たる皇太子裕仁親王の妃に久邇宮良子女王を迎えよう。内定したところで、山縣が横槍を入れた。女王の家系には色覚異常の遺伝がある。軍人となる未来の皇子が色覚異常では困るだろう。なるほど。だが、ご成婚阻止の理由としてはどうも弱い気もする。

石渡荘太郎という人がいた。敗戦前後の宮内大臣。戦後にこう語った。山縣の本当の反対理由は「中川宮問題と承っている」。中川宮朝彦親王は、幕末の朝廷で反長州派の首魁だった。孝明天皇に厚く信頼され、帝を操るが如くして、帝に反長州の意思を示させ、徳川慶喜や薩摩や会津と提携して、長州を京から駆逐。やがて薩摩も退け、うるさい公家の岩倉具視も黙らせた。また宮は、長州に打撃を与えた池田屋騒動に感服。新選組の贔屓となり、近藤勇を引き立てたがった。もしも孝明帝が俄かに崩御せず、中川宮と慶喜の主導で維新がなされれば、近藤や土方歳三が国家指導者となる、別の日本近代が十分にあり得ただろう。

とにかく、倒幕派の公家や志士たちからすれば、中川宮とは悪夢そのものだった。宮は、孝明の皇子（後の明治天皇）を差し置いて、皇位を狙っている！　孝明帝がしばしば退位を仄めかして幕府や諸藩に圧力をかけてくる戦術も、中川宮の入れ知恵！　西郷隆盛も大久保利通も、有力な志士たちはそう考えたようである。宮は魔王とさえ呼ばれた。

この苦い経験を糧に、維新後、岩倉具視や長州の伊藤博文は、近代天皇制をデザインしたと言ってよい。天皇はもちろん、周囲の宮様にも実質的権力を与えない。輔弼する政府にあくまで従ってもらう。天皇には退位の自由も与えない。退位問題を政争に用いさせぬためだ。皇位簒奪をはかる中川宮的な皇族が出てきにくくなるように、皇位継承順も法で定めてしまう。岩倉や伊藤の亡き後、このデザインの守護神のつもりで長生きしていたのが山縣だったろう。

はて、宮中某重大事件と中川宮がどうつながる？　中川宮は、明治維新で親王位も奪われ謹慎させられた後、１８７５（明治8）年、ようやく身分を回復され、新しく久邇宮を名乗る。大正の皇太子の妃に推された良子女王は、中川宮こと久邇宮朝彦の子の邦彦の娘なのだ。長州にとって不倶戴天の敵、中川宮の孫が未来の皇后！　長州の深く関わった維新に対する中川宮の不満が伝承されていないか。山縣は、表向きは色覚異常の一本槍で反対し、驕った君側の奸として幅広い政治勢力から攻撃され、ついに敗退した。

幕末の因縁に縛られた山縣の単なる妄執か杞憂か。いや、そうとも言い切れまい。裕仁親王のご成婚から21年後、ついに政府の輔弼が機能しなくなり、御聖断によるポツダム宣言受諾。それから74年後には、中川宮の曾孫となる現上皇陛下が、自らの意向を通すかたちで退位を実現する。岩倉・伊藤から山縣に託された〝対中川宮防衛線〟がゆっくり破られてゆく過程としての歴史が見えてくる。

とすると次は皇位継承のルールに手が付く番でしょうか。（2022/11/17）

II

宰相と政治は何をめざすのか——令和おじさんから暗殺者まで

書記を幾期も務めた。中学高校時代の生徒会の話である。中央執行委員会と称していた。名前だけだと、反対者の粛清すらできそうな組織のようだが、実際にやれることは、学校の交付するクラブ活動費をどう配分するかくらいだった。

書記は何をするか。各クラブから、詳細な内訳の付いた予算申請書を預かる。領収書の添付された前年度の会計報告書も集める。そして、予算折衝の場では、議事録作成用のメモを取る。居丈高なクラブに対しては、「この領収書、筆跡おかしくありませんか」などと言ってみる。相手は青ざめ、交渉は急転。生徒会主導で妥結したりした。

学校はクラスや教科やクラブで縦割りになっている。教師も生徒も、自分の領分以外はよく知らない。中央執行委員会書記はそこをいくらか越境できた。どのクラブの部長がどんな人間で、クラブがお金をどう使って何をしているか、けっこう知っている。ときに弱みも握る。それは他の生徒会役員も同じと言えば同じだが、書類を鍵付きの小部屋に集めて握り、物事に一番詳しくなるのは、書記だ。位は低い。が、書記を通さず決まることは何もない。

生徒会を頂点とする学生の自治組織を、日本国家の行政部に重ねるとすれば、生徒会書記は内閣官房に相当する。官房長官は古くは内閣書記官長と呼ばれた。要するに書記の親玉である。

近代日本の内閣官房のモデルの原点は、やはりプロイセンの官房だろう。プロイセン国王は親政を理想とした。しかし、国家が発展すれば、役所は増え、縦割り化と専門化は進む一方。国王は閣議で説明される程度では分からない。かといって、いちいち役所を回るわけにも行かない。全役所の重要書類を提出させ、国王が日々、一部屋で総攬《そうらん》できるようにしなくては！　書類を集める部屋の執事は、書記長や官房長官と呼ばれるようになった。

とはいえ、プロイセンと日本では、官房の運用は違った。プロイセン国王は省庁に干渉すべく官房機能を用いた。が、日本の首相は、明治から戦後を通じ、官房が集約した諸省庁の意思を按配し、よろしきところに丸く収めることを旨とした。和の政治である。でも、危機の時代となると違う。日中戦争以降には「強力政治」が、敗戦直後の混乱期には「官邸主導」が、冷戦構造崩壊後には「決められる政治」が叫ばれた。危機の時代には総理大臣のスピード感ある決断が重要。下意《かい》上達より上意下《か》達《たつ》の方がいい。官房は、下の書類を集めるだけでなく、上の命令を高圧力で下に伝えられねばならない。日本的に柔らかく受容したプロイセン型の官房を、本物のプロイセン型に転換したくなるわけだ。

が、各省庁は当然抵抗し、戦時期の「強力政治」も、敗戦直後の「官邸主導」も、現実には挫折した。ところが現政権は、内閣官房内に内閣人事局を新設することで、突破口を開いた。各省庁の高級官僚の人事を官房で差配できる。人事権をチラつかせるだけで、省庁は青ざめる。念押しすれば、そのとき、総理の意向と省庁の事情の両方に通じ、権力の実をつかめる最右翼は、官房長官である。

平成の日本政治に起きた最大のこと。それは「書記権力」の飛躍的上昇ではないか。ソ連で最高会議幹部会議長よりも第一書記が、鎌倉幕府で将軍よりも執権が、室町幕府で同じく管領が、事実上の力を有していたことが思い出されてよい。

日本はもう「令和おじさんの国」なのかもしれない。(2019/06/06)

※「令和おじさん」とは当時の官房長官のあだ名であった。

剣豪の新選組と重度身障者の新選組

ジャニーズ事務所所属で、人気絶頂のフォーリーブスが、スラリとした西洋式の軍服を身にまとう。4人とも、田舎の農民か商人の子弟だったのが、確か薩摩の益満休之助に認められ、突然、官軍にされる。そして、伊東四朗扮する土方歳三、さらに鳳啓助扮する幕府歩兵隊指揮官の大鳥圭介を、毎回敗走させながら、江戸に攻め上って行く。官軍と賊軍が戦っていると、突然、ゲストのアイドル歌手が歌いだしたりする。1973（昭和48）年秋から放送された、戊辰戦争コメディ番組『とことんやれ大奮戦！』である。妙に面白かった。

昭和40年代でも、新選組はまだまだ悪役だった。尊皇の志士を京都の小路に追い込んでは斬り殺す。明治政府の時代に、新選組が良く語られるはずはなく、その名残は戦後も長く続いた。

すると、イメージの転換はいつ始まったか。昭和初期の子母澤寛の小説『新選組始末記』が大きい。でも、決定的だったのは、司馬遼太郎の『燃えよ剣』だろう。昭和40年代にテレビドラマ化され、土方と沖田総司がアイドル化し、今日風に言えば「聖地巡礼」する「幕末女子」を大量に生み出した。

司馬遼太郎はなぜ新選組を好んだか。子母澤のように佐幕派への共感があったわけではない。血なまぐさい剣豪小説を書きたがる人でもなかった。司馬は、出番のなかった人に出番の来る物語が好きだったのである。そこにこそ維新があり革命がある。司馬の思想だ。

新選組の面々の出自を思い出そう。近藤勇と土方は多摩の農民。原田左之助だと武家奉公人の出。江戸時代の常識では、政治や軍事の領域には出てきにくい。が、非武士にも出番が来た。太平の世に慣れた江戸幕府に、非常時への備えが足りなかったせいだ。もちろん誰でもよくはない。近藤にも土方にも剣の腕があった。鍛えられた肉体があった。新選組とは、時代の変化に応じ、主に肉体的能力ゆえに新たに必要とされる人材を選んで、障壁を乗り越え、歴史の表舞台に送り出す回路の名だと、言ってもよいかもしれない。

れいわ新選組は、なぜ新選組と名乗るのか。代表の山本太郎が、ＮＨＫの大河ドラマ『新選組！』に原田左之助役で出演していたことが思い出される。しかし、それだけではあるまい。

民主主義政治家は、選挙でも議会でも元気に演説し、身を粉にして党務に携わり、選挙区の民意を精力的にとりまとめられる人物がよい。元気な健常者に向いている。長年の常識だったろう。江戸時代には政治も軍事も武士に限ったのが常識だったように。

だが、世は変わりつつある。何しろバリアフリーだ。一切の分け隔ては悪である。少数民族も性的マイノリティも高齢者も子供も、決して退けられない社会の実現。現代の錦の御旗だ。オリンピックがあればパラリンピックがある。身体障害者をサポートする技術も急激に進化している。ならば重度の身障者が、政治的意見を健常な国会議員に代弁してもらう必要もないだろう。

元気に喋りまくる〝プロ政治家〟から、きちんと意思表明できる当事者代表へ。近藤や土方が激しく動ける肉体で示したのに優るとも劣らない存在の強度が、れいわ新選組の二人の参院議員の、近藤や土方とは逆のベクトルの肉体にはあると思う。多数決の論理ばかりではなく、少数者や弱者の侵しがたい論理のあることを、二人の議員は日本の政治に身をもって教えるだろう。もっとも、幕末の新選組は乗る船を間違えて、すぐに滅んだのだが。山本太郎さん、お気を付けください。（2019/08/29）

弁護士とデマゴーグ

リンカーン、クリントン、オバマ。みんな揃って弁護士だ。実は歴代アメリカ大統領の半分強は弁護士である。ジェファーソンもフランクリン・ルーズヴェルトもニクソンも弁護士だった。

イギリスなら10年も首相をやったトニー・ブレア。フランスなら第一次世界大戦期の大統領だったポアンカレも、マクロンの前の大統領のオランドも、やはり弁護士だ。

なぜか。ドイツの社会学者、マックス・ウェーバーは、ちょうど１００年前の１９１9年、第一次世界大戦の敗北直後、『職業としての政治』で、帝政ドイツを打ち破った米英仏の民主主義陣営の政治家のタイプを分析した。そこで重視されたのは弁護士である。

民主主義国家は自然にはできない。自由主義や個人主義の理想を掲げ、国民の権利を守る法律を綿密に作成し、不断に更新してゆく。六法全書の分厚さを思い出そう。法的文書作成のプロが居てこその民主主義なのだ。

文書作成のプロなら、弁護士でなくても、官僚でもよいではないか。ウェーバーによれば、官僚では役者不足。フランス革命！　アメリカ独立宣言！　日本国憲法！　民主主義は先例なき理想をぶち上げる。ところが官僚は先例主義者だ。ぶち上げられない。対して弁護士は、有罪を無罪にできないか、法の抜け道はないか、大胆に考える習慣がついている。だからぶち上げられる。アメリカ独立宣言の起草者は弁護士のジェファーソンであり、日本国憲法の草案を作成した占領軍の有力メンバーも弁護士たち。韓国の文在寅大統領も弁護士だ。彼は日本との〝法廷闘争〟で画期的な勝利を収めたいのだろう。

そして、民主主義と言えば人気取り。選挙に勝たねばならない。決め手は文書よりも演説だ。弁護士もそう。弁論が下手では飯の食い上げ。米英両国は陪審員裁判を発達させてきた歴史があるから、弁護士は、陪審員に選ばれた一般民衆に、平易に語りかけるのが仕事になる。選挙運動と同じ。だから弁護士から政治家が生まれやすくなる。

では、日本は？　弁護士出身の首相は片山哲と鳩山一郎だけ。一般に民主主義は議会でのえげつない論戦や訴訟社会に特徴づけられるが、日本人は明らかにそれが嫌いだ。日本は西洋型の民主主義を本当には受け付けていないのかもしれない。そのことは、弁護士出身の枝野幸男や橋下徹が今後どこまで働けるかという問題につながる。

ところで、ウェーバーは『職業としての政治』で、弁護士に民主主義政治家の究極を見たのではなかった。その先がある。デマゴーグだ。デマは日本語では出鱈目の意に解されるが、本来はそうではない。デマの原義はデモクラシーに通じる。国民大衆を平易な言葉で鷲摑みにし、大きなまとまりを作り出すのがデマゴーグの仕事だ。その技は陪審員相手の弁護士の誘導的・洗脳的弁論術によって発達したのだろうが、デマゴーグは弁護士に残る理屈の嫌味を超える。操る言葉を見出しのように短くし、理屈を超えたワン・フレーズにまで煎じ詰め、みんなを巻き込む。真のデマゴーグは、弁護士性を払拭し、俳優的になるだろう。理屈ではなくカリスマの勝負なのだ。

そういうウェーバー的な意味において、戦後日本の生んだ最大のデマゴーグは、「ぶっこわす」の小泉純一郎に違いない。その血を享《う》け、俳優的振る舞いも見事で、兄に本物の俳優を持つ小泉進次郎が、「おもてなし」のワン・フレーズの滝川クリステルと結婚したとは！　令和の日本が見えた気がする。（2019/09/05）

永遠の海軍青年将校、中曽根康弘

青年将校。若手代議士の頃の中曽根康弘のあだ名である。彼は海軍の主計少佐だった。海軍と陸軍はずいぶん違う。たとえば海軍には連合艦隊司令長官が居るが、陸軍にはそれに相当する役職がない。

旧軍隊組織の頭は、海軍だと軍令部、陸軍なら参謀本部。現場の部隊は頭の命令に従う手足の位置づけだ。しかも、陸軍は常時、全国に数多の部隊を分散させている。どこかの手足が力を持ち、頭に文句を言うことは難しい。

ところが、海軍部隊はあまり分散していない。大海戦も一日で終わる。短時間に主力艦艇をどれだけ集中できるか。皇国の興廃が決まる。平時から諸艦隊の統合運用が基本だ。連合艦隊だ。その司令長官は現場指揮官のくせに偉い。山本五十六は軍令部の反対を押し切ってハワイ奇襲作戦を敢行した。

中曽根は連合艦隊司令長官に憧れていたろう。自民党主流派が参謀本部や軍令部なら、中曽根は長く反主流派で現場指揮官だ。内閣総理大臣になるには、小が大を食わねばならず、そのためのマジックが必要だ。中曽根は早くから首相公選制を主張した。首相を国民の選挙で選ぶべし。国民の人気をつかめば、下剋上をやれる。

が、首相公選制は見果てぬ夢だった。中曽根の下剋上は、実際は風見鶏に徹することで巧みに行われた。しかし、その風見鶏の心は、軍令部を制する山本五十六への憧憬であったに違いない。

ところが、連合艦隊司令長官も敗れた。アメリカに。かの国の自由に敵うものなし。中曽根は親米派になった。首相公選の夢は大統領選挙への憧れに通じる。親米ということは、反ソで反共。その態度は反陸軍にも通じる。

帝国陸軍はけっこう社会主義的だった。海軍に比べ、人員が桁違いに多い。何百万もの兵隊を統率するには、平等横並びが一番だ。不満を抑える最良の手段だ。対して海軍はエリート主義と自由主義である。戦艦大和や零戦を精兵が運用すれば勝てる。そう信じ、選抜を重ね、月月火水木金金で鍛え、肝腎なときには個人に大きな裁量を許す。

陸軍の革新派青年将校は、北一輝の、社会主義的な大きな政府と国民総動員の大軍隊に徹する夢に煽動され、二・二六事件を起こした。一方、海軍の革新派青年将校は、権藤成卿《せいきょう》の、社会を民衆の自治に任せ、小さな政府と精兵の小軍隊に徹する夢に触発され、五・一五事件を起こした。海軍を引き摺る中曽根が、小さな政府派のサッチャーやレーガンとウマの合った理由もそのへんから探れる。海軍の主計将校だった中曽根は、全国に多くの無駄を含みながら展開して予算を貪《むさぼ》った陸軍への不満を、戦後に、陸軍にどこか似て、しかも巨大な労働組合を持つ国鉄へと振り替えたのではないか。国鉄民営化への執念はそこから生まれたのだろう。

そんな中曽根は、米ソ冷戦の最後の頂点でレーガン政権に猛烈に肩入れした。プラザ合意で、ソ連との軍拡レースに疲弊したアメリカ経済を助けるかのように円高を容認し、それによる日本経済の冷え込みを懸念して、大規模金融緩和に踏み切り、景気を過熱させてバブルをもたらし、バブル経済はベルリンの壁の崩壊直後にこれまた崩壊した。ソ連が引導を渡されるのと、日本経済が瀕死に追い込まれる時期とが一致したのは、偶然ではないだろう。

小が大を制する野心、小さな政府、反陸軍転じて反社会主義。海軍の心を宿す中曽根の三本の矢だ。結果、ソ連が斃れ、日本も傷ついたのか。肉を切らせて骨を断つ、捨て身の海軍特攻精神。以上、中曽根政治の総決算でした。(2019/12/26)

〝坂の上の雲〟から〝坂の下の霧〟へ

安倍晋三政権はなぜ長く続いたか。いちばんの理由は、この国が下り坂に入っているのに、国民多数がその事実を認めたくなかったせいだと思っている。

日本は明治維新以来、ずっと上り坂を歩んできた。敗戦で崖から落ちたものの、戦後復興から高度成長と、すぐに再び上り坂へ。司馬遼太郎の生んだ「坂の上の雲」という言葉が、日露戦争を扱う小説の題名を超え人口に膾炙《かいしゃ》しているのが何よりの証拠だ。日本人のアイデンティティは上り坂にあった。

ところがそんな日本人にも、長いダラダラの下り坂をついに体験させられる時代が訪れた。先進国の資本主義に国民を広く富ませてゆく成長モデルが見つからなくなったのが最大の要因だろう。困っているうちに、後から来た国がどんどん追いついてくる。自動車だって電子機器だってどこの国でもそれなりに作れる。先進国のアドバンテージは失われる一方だ。日本ならそこに少子化や島国気質ゆえの引き籠り志向が絡む。元号で言えば平成期に、上り坂から下り坂への転換点があった。

ある程度の下り坂もやむを得ず。そう悟れば新たに生きる道も開ける。が、かつて世界の富を鷲づかみにしたスペインやポルトガルやオランダやイギリスの人々だって、他国との競争に負け始めたとき、すぐに気持ちを切り替えられなかったろう。日本人も同様だ。

そこに第二次安倍政権が国民的に支持される一種の必然があった。難病で首相の座を降りた人が奇跡の返り咲き。しかもやたらと景気の良い話をする。仮に空元気だとしても嬉しい。上り坂である日本以外を認めたくない国民の情を、安倍政権は見事に束ねきった。

しかし、言うは易く行うは難し。世界史的運命と言うべき下り坂の時代をどうして反転させられようか。かくて安倍政権は、言葉悪く言えば錯覚の政治を追求することになった。「異次元金融緩和」で円安・株高による好景気を演出する。地球儀を俯瞰すると称して積極外交を重ね、日本の大国感を醸す。特には小泉純一郎政権に学んだのだろうが、内にも外にもやたらと敵を作ってはヒロイックに振る舞う。日本は下り坂を脱したのか。国民は喜んでそう信じたがった。でなければ安倍政権が選挙で勝ち続けられたわけがない。

でも、何もかも恐らくは長すぎる夢だった。「異次元金融緩和」は、上り坂に転じる地力のもはやない日本経済を延命させるための、劇薬の域を出ずじまいの感がある。日米同盟は不安定化しつつあり、日露関係はむしろ後退しただろう。日中や日韓のあいだにも国内政治にも不協和音が響いている。

すると、奇跡の首相が国民にかけた上り坂の夢の魔法が、最終的に解けてしまったのはいつか。疫病流行を前にした首相の姿が、何だか頼りにならなそうな専門家と並んでも、一段と自信なげに見えたときではないか。

病気に勝った奇跡の首相の長期政権に唐突な引導を渡したのは病気だった。因果話である。こうして上り坂へのノスタルジックな時代は断ち切られた。今後のこの国は、上り坂の先の輝く雲よりも、下り坂の先の暗い霧を見すえながら、下るにしてもなるたけ緩く平坦で少しでも明るい道を見つけなくてはなるまい。そのためには良いことばかりを言わない政治家が大事なのです。（2020/09/24）

下剋上の精神――梶山静六と菅義偉

菅義偉新総理が政治の師と仰ぐのは梶山静六だという。人生の節目を迎えると、必ず梶山の墓前に赴くのだそうだ。

梶山は、堅牢な大石のごとき烈々たる存在感を示した政治家である。１９２６（大正15）年に茨城県の現在の常陸太田市に生まれ、陸軍航空士官学校在学中に敗戦。日本大学で学び直し、その後、家業に従事した。梶山家は江戸初期からの農家だが、やがて石材店を営んだ。梶山静六の石のような存在感は、本当に石に囲まれて出来た。やはり気質と物質は相応するものではあるまいか。

閑話休題。梶山は石屋で終われなかった。政治を志した。茨城県議から、田中角栄の後ろ盾を得、衆議院へ。竹下内閣で自治相、宇野内閣で通産相、海部内閣で法相、橋本内閣で官房長官。１９９８（平成10）年の自民党総裁選挙には、小渕恵三、小泉純一郎と並んで立候補。そのとき田中眞紀子は３人を「凡人、軍人、変人」と評した。凡人が小渕、変人が小泉、軍人が梶山である。

地方出身者で、農家の血筋で、学歴を積むのに苦労し、地方議会から叩き上げ、官房長官を経て、首相を目指す。梶山と新総理の経歴は見事に響き合う。

が、梶山の物語にはもっと奥がある。本人の文章から引く。「少年時代、祖父静から水戸天狗党の話を聞かされ、又お盆になると毎年婦人会の方々が、靖国神社に祀られてある梶山敬介命の墓標に線香を手向けて下さるのをみて、心ひそかに発奮する心を覚えた」

梶山敬介とは、静六の曾祖父の弟になる。彼が天狗党に入った。幕末史に痛切な一頁を刻んだ集団である。孝明天皇が願う攘夷実行の先駆けになろうと、1864（元治元）年、筑波で蹶起《けっき》した。水戸を脱藩した侍が中心だが、水戸藩は西洋列強との攘夷戦争が起きたら武士だけでは兵員が足りぬと考え、郷校と呼ばれる学校を幾つも設け、町人や農民に尊皇教育と軍事教練を施していたので、結果、天狗党には非武士の参加者も多かった。階級を超えた新時代的集団だったのである。梶山敬介も郷校で政治に目覚めたらしい。

天皇の国についに危機が訪れ、エリート層だけでは国をマネージできなくなっている。大乱世なのだ。地方農村の名もなき若者が憂国の志士として立ちあがり、国の魂を入れ替えるときだ。梶山敬介の胸は躍ったろう。

が、天狗党は無惨な最期を遂げた。義軍のつもりでいたら、出過ぎた勝手をする無法集団として朝廷からも幕府からも賊軍とされ、梶山敬介も死罪。家族も賊の血縁として肩身を狭くした。

そんな悲しい物語に育てられたのが静六なのである。地方の名もなき者が国家を見返し、エリートを蹴散らし、既成の秩序を覆す。それが先祖の無念を晴らすこと。静六の志の根っこはそこに在った。下剋上と革命の精神である。金丸信は「無事の橋本（龍太郎）、平時の羽田（孜）、乱世の小沢（一郎）、大乱世の梶山」と評した。さすが金丸。梶山の内なる天狗党を見抜いていた。

さて、梶山の愛弟子と呼べる政治家が、疫病禍の生んだ本物の大乱世に師の果たせなかった夢を実現したのは、偶然ではあるまい。新総理が、お坊ちゃん政治家にまねできぬ、大乱世のための大胆で苛烈な政治をなせるか。事の成否は師の天狗党の魂を弟子がどれだけ血肉としているかにかかっている。（2020/10/01）

岸田文武の〝正姿勢〟

1983（昭和58）年の夏と覚えている。私は大学2年生。クラブの先輩の命令で「岸田文武君を励ます会」の手伝いをした。

岸田は自民党の衆議院議員。田中角栄元首相のロッキード裁判の一審判決は秋に出ると決まっていた。恐らく有罪である。田中を後ろ盾にする中曽根康弘政権もただでは済まない。首相は国民に信を問い直すしかないだろう。解散総選挙は近い。代議士たちは支持者の束ねと資金集めに余念がなかった。夏はパーティの季節になった。

その日の私は来場者数のカウント係。宴会場の出入り口の内側の脇に立ち、手持ち式の数取り器を押しながら、パーティを見物した。岸田は自民党でも宏池会に属していた。池田勇人の作った派閥だ。宏池会を代表し、宴の締めに登場したのは、後の首相で、当時60代半ばの宮澤喜一。弟の宮澤弘の妻は岸田の妹。宮澤家も岸田家も地盤は広島。縁は深い。宮澤は雄弁だった。「宏池会の将来は岸田君の双肩にかかっている！」。壇上で岸田としっかり握手。

そのときびっくりした。岸田は当選2回で50代半ば。それなのに宮澤に負けぬ威厳が漂う。肩ひじ張っているのではない。その反対だ。自然体と言うか、泰然自若と言うか。家のつながりがあるにしても、派閥のリーダーにここまでへつらう風情がないとは！もしかして大物？

しかし、本当に驚いたのはその後。宴の済んだ会場の一角に、お手伝いの慰労の席が設けられた。そこに岸田も加わった。私の真向かいに座る。敬語で語りかけてくる。

「今日はご苦労様でした。学校ではどんなお勉強を……」

実のある声だった。上にも下にも対等の人間として礼を尽くしてくれるのか。感動していると、ヒョロッとした青年が現れて斜め前に座った。岸田の長男で日本長期信用銀行に勤めて2年目の文雄氏だった。仕事のせいで遅れて来た。育ちの良さは一目でわかる。けれどあまりに超然としている。文雄氏はそのとき政治家でも秘書でもなく、アルバイトと打ち解ける必要など、もちろん全くないのだが、それにしてもわれわれが居ないかのように、食べて飲んで、遠い目をしては、腕時計を眺めるばかり。完全なる無口。未来の政治家の雰囲気は見つからないなあ。そう思った。

それから歳月を経た。岸田は一度も入閣せぬうち、早くに逝き、長男が後継と聞いて、余計なお世話だが、心配にもなった。けれど人は成長する。2017（平成29）年、安倍晋三首相が北朝鮮問題を国難と称した効果もあったのかどうか、ついに与党が3分の2の議席を獲得した総選挙直後の衆議院本会議で、岸田文雄政調会長は首相に向かい、宏池会の命名者でもある陽明学者、安岡正篤の言葉「正姿勢」を引いて訴えた。「自分の政治哲学をはっきり持っていれば、おのずから正姿勢、正しい姿勢になる」。「相手の顔色を見て右顧左眄《うこさべん》するようでは、国民への責任を果たすことはできません。同時に、野党や国民に上から目線で臨むようでは、国民の信を失い、真っ当な政治を行うことはできません」

息子の政治家としての言葉に初めて頷けた。そして遠い昔の父の姿勢を思い出した。陽明学であったのか。自分の行動の物差しを、外との関係性、人気や評価でなく、ひたすら自分の心の内の道徳律や信念に求めるのが、陽明学の真髄。相手や情勢次第で態度を変えず、低姿勢にも高姿勢にもならない。どんな相手にも礼を尽くしつつ、信ずる道を行き、信が通らねば消えるのみ。それが正姿勢だろう。

いくら総裁選や総選挙をやって人心の刷新を図っても、正姿勢を取れぬ政治家が跳梁跋扈する限り国は滅びます。（2021/09/23）

宏池会における正常化バイアスの伝統について

池田勇人が総理の座から退いたのは、1964（昭和39）年11月。東京五輪の翌月だった。岸田文雄が自民党の新総裁に選出されたのは、2021（令和3）年9月、やはり東京五輪の終わった翌月。岸田は、池田の旗揚げした派閥、宏池会の現会長である。

池田は岸信介の後継だった。岸田は、安倍晋三とその臨時代理的中継ぎ登板に終わった感のある菅義偉の後を受ける。岸と安倍の政権の共通点は、どうも高飛車で、極端な政治選択をしようとし、国民を分断したことかと思う。だから池田首相は低姿勢を基調とし、「寛容と忍耐」を標語に掲げ、「私はウソを申しません」とテレビで連呼した。前任者が嘘つきのように思われがちだったからであろう。

岸田新首相は明らかに池田を真似ている。「人の話をよく聞くこと」が特技と最近やたら言うようになったが、それつまり岸田なりの「寛容と忍耐」だろう。とはいえ無論、姿勢を低くするだけでは、分断の政治の軌道修正はできない。そこで池田の切ったカードは？　国民所得倍増計画だった。生活水準を底上げし、中産階級を厚くすると宣言した。岸田も数十兆円の経済対策で中産階級を取り戻すとぶち上げ、「令和の所得倍増計画」とも呼ばれている。

ポスト安倍はポスト岸のようにやれば間違いない。歴史の教訓であろう。でも、それだけではない。「高光の榭《うてな》に休息し、以て宏池に臨む」。後漢の馬融の言葉だ。宮殿の高楼から広い池を見渡すような余裕のある心持ちで、雨が降ろうと槍が降ろうといつも慌てず騒がずに政治を行うべし、との意だろう。宏池会の名の由来である。名づけ親は、池田の心の師だった、大正期からの大物右翼思想家の安岡正篤。安岡には『危機静話』という著書もある。常に極端に走らず中道を行けば、どんな非常時も必ず平時に復する。危機を乗り越えるのは静かな平常心。分断を克服するのは北風でなく太陽。たとえばお金。所得倍増。安岡が魂を入れた宏池会の精神であろう。穏健保守の真骨頂である。

だが、池田と岸田では時代が違う。冷戦時代の国際経済環境が日本に味方していたがゆえに、池田内閣誕生時、既にこの国は急成長の軌道に乗っていた。放っておいても所得は倍増しそうだった。池田はそれを自分の手柄かのように演出するだけで良かった。けれど「令和の所得倍増計画」はなかなか容易ではあるまい。たそがれてきた国が中間層を改めて膨らませ豊かにする。奇跡の域であろう。

そう言えば、昭和天皇の終戦の詔勅に「万世の為に太平を開かむと欲す」の一節を足したのは安岡であった。日本は切羽詰まってみじめに負けるのではない。まっとうで余裕のあるうちに世界平和を望んで自ら積極的に終わらせるとの意が籠る。既に原爆さえ落とされたというのに！　こうなると冷静に平常心を保つというよりも、正常化バイアスが入っている。どんな異常な極限状況もなお余裕を示して処理できるはずと思い込む、一種の認知の歪みである。

宏池会の背骨には、安岡流の呑気な遺伝子が入っている。それでこなしきれる時代だろうか。嵐の大海を広い池のつもりで進めると信じ、国力も尽きかけているのにまだ余裕があると思う。正常化バイアスを脱せずに、宏池会の政権が難破し、戦後日本の穏健な保守が終わってしまったら？　そのときパンドラの箱が開く。かつて安岡がきつく退けた北一輝の過激さに見合う何かが、この国に改めて噴出する。

もしも岸時代を池田時代が修正できなかったら、どんな騒乱が巻き起こっていたか。考えるだけで恐ろしい。私の〝異常化バイアス〟ゆえの妄想であることを祈ります。

（2021/10/21）

河野三代における〝異常化バイアス〟の伝統について

「河野君の誤を完全に指摘される」。佐藤栄作の日記の一節。「河野君」とは河野一郎のこと。洋平の父で、太郎の祖父だ。はて、誰がいつどこで、河野は全く間違っていると佐藤に言ったのか。のちのＥＣ、ＥＵにつながるＥＥＣ（欧州経済共同体）のハルシュタイン委員長が、１９６２（昭和37）年10月1日、ベルギーのブリュッセルにおいてである。

佐藤は池田勇人内閣の通産大臣だったが、62年7月の内閣改造で無役になった。前首相の岸信介の弟で、次期首相の有力候補と目される佐藤を、池田はうるさく思って追い出した。佐藤はとりあえずすることがない。捲土重来を期して外遊した。特にＥＥＣの動向を知りたかった。

のちにＥＣ、ＥＵへと発展する、この諸国連合の目的は果たして何か。佐藤と並ぶ次期首相候補で、池田内閣では建設大臣だった河野は、佐藤にこう吹き込んでいたらしい。フランスのド・ゴール大統領は、ＥＥＣを米ソのどちらにも靡《なび》かぬ第三勢力に育てようとしている。ＥＥＣの背景にあるのは、河野の長年のボス、鳩山一郎が傾倒した、クーデンホーフ＝カレルギー伯爵の友愛思想に違いない。河野の理解では、友愛とは、小国が大国を相手に自主独立路線をとれないとき、友人を募って共同体を建設して対抗しようとする思想だ。ド・ゴールのフランスは急ピッチで原水爆開発に励む。その核を支えに、ＥＥＣは米ソに友愛の力で対抗しようとしだすに違いない。東西冷戦から多極化へ。それが世界の流れ。日本も乗り遅れてはならない。

佐藤はそうかもしれぬと思った。ブリュッセルで赤裸々に問うた。ＥＥＣの真の目論見は欧州のブロック化なのか。ハルシュタイン委員長は即座に否定した。日米を含む「自由諸国の経済の強化」により共産主義陣営に抗する以外に何の目的もない。佐藤はハルシュタインの誠意溢れる熱弁に大感激した。また河野に騙された！　彼の話は常に大げさで安定を乱し、国を誤らせかねない。気をつけなければ。

はて、河野本人はその頃、何をしていたか。63（昭和38）年5月7日には、東京の赤坂の料亭「福久谷」で、「中国蘭花愛好者代表団」のメンバーに紛れて来日した対日外交担当者、孫平化と王暁雲に密会している。欧州が世界に第三極を築くなら、第四極は日中提携により東アジアで実現されねばならない。そのとき日本の対米自立が可能となり、屈辱の戦後は終わる！　河野はそのための仕掛けを始めていた。

河野一郎とは、まことに想像力豊かで、しかも本気で暴走できる政治家であった。どんな異常な事態に見舞われてもじきに元に戻ると信じたがるのが正常化バイアスなら、正常と思われる事態の中にも、異常に突き進む極端な要素が必ず潜んでいると考えたがるのは〝異常化バイアス〟と呼べるだろう。たとえば、ド・ゴールのやるかもしれない最極端の可能性に熱を上げ、そこから世界の差し当たっての未来を読み切ってしまう。錯誤を怖れない。そんな〝異常化バイアス〟こそ河野一郎らしさ。息子の洋平が、佐藤政権の後を受けた田中角栄の金脈問題で自民党は終わると確信し、新自由クラブを大胆に作れたのもそんなバイアスのなせるわざか。そのまた息子の太郎が総裁選で敗れたのも、極端に振れる河野の遺伝子に自民党諸氏が本能的恐怖を覚えたせいか。とはいえ、日本の現実が河野的なるものと次第に波長が合ってきているのも、また確かであろう。

いよいよ〝異常化バイアス〟の出番は近いかもしれない。アンバランスゾーンに落ちる崖っぷちで、岸田政権がどこまで踏ん張れるか。この国は今日もスリリングであります。（2021/10/28）

誰が源頼政になれようか――自民党永続与党論

ドイツでは秋の連邦議会選挙で社会民主党が第一党になった。アメリカでは民主社会主義者を自任するサンダース上院議員が、ここ2回の大統領選挙で有力な候補になった。先進資本主義国は成長の限界に突き当たり、中産層は崩壊過程に入り、貧困に恐怖する多くの人々が左派の伸長に期待する。世界的潮流ではあるまいか。

日本の状況も似たようなものだろう。だが、2021（令和3）年10月31日の総選挙の結果は、以上の立論から予想されるものとはだいぶん異なった。この国の社会民主党は、とうの昔に凋落し、今回も僅か1議席を得たのみ。日本共産党も議席を減らし、旧日本社会党系の政治家を内に含み、リベラル政党と目される立憲民主党も、勢力を後退させた。

なぜ、そうなったか。そもそもリベラルとは何か。自由主義には違いない。でも言葉に付いた思想の色は単なる自由を越える。人間らしく生きられてこその自由なのだ。貧困や差別に追い込まれた人間のどこに自由の実質があろうか。そういう人が居たら助ける。福祉だ、公助だ、救済だ！　税金もたくさん要る。政府も大きくなくちゃ。そういう自由主義は社会主義に近づく。立憲民主党が真のリベラルなら、共産党と選挙で共闘しても、決して野合とは言えない。

もちろんリベラルでない自由主義もある。リバタリアンの自由主義だ。アメリカだと共和党の伝統的支持層の核心的価値観だ。自由の第一義は私権の絶対擁護！　他人の面倒を見るために俺のお金を取るな！　税金は安く、政府は小さく、役人も議員も少なく！　その代償として自分の面倒をみてくれとは言いにくくなる。何でも自己責任論に帰着する。日本ではよく新自由主義という言葉に代替されるが、実は自由に新も旧もない。元から二つあるのだ。そして、今度の総選挙で議席を増やした野党は、どうもリバタリアン的である。日本維新の会も、国民民主党も。

なぜリベラルよりもリバタリアンが票を集めたのか。少子高齢化のせいではないか。日本の将来には不安がある。自由勝手に生きてくれと言われても困る。どの世代も福祉に期待するのがまずは自然と言える。ところが、その財源は外から降ってくるわけではない。少数の若い世代が多数の老いた世代のために高負担を強いられる時代が長く続くことは、小学生でも分かる。しかも若い世代の苦労が将来の高額な老齢年金で報われる可能性は低減する一方だ。したがって、現代日本の青年や壮年は、おのれの身を守るためにはリバタリアンを支持するしかない。綺麗ごとのリベラルに靡けば、骨の髄までしゃぶられてしまう。

たそがれてゆく現代日本において、リベラルかリバタリアンかの選択は、世代間の生存闘争と化している。それが野党の二極化を生み、その真ん中で自民党が不動の与党として笑い続ける。なぜなら、日本にリベラルな福祉国家をそれなりに実現してきたのは高度成長期の自民党であり、新自由主義を普及させたのも冷戦構造崩壊後の自民党だからである。自民党とは鵺《ぬえ》のような怪物なのだ。鵺の左に居ても右に居ても恐らく鵺には勝てない。鵺を退治する源頼政は当分現れそうにない。

その意味で今回の選挙は日本政治の未来図を指し示したのかもしれない。自民党がリベラルとリバタリアンを兼ねつつ自在に重心を動かせる、盤石の中道的大与党であり、国民の声がリベラルに寄ればそちらの側の他党と、逆になれば逆の側の他党と、連立を組む。この先の何十年かはそうなりそうな……。二大政党論は夢のまた夢でしたねえ。

(2021/11/18)

参議院選挙を前に緑風会を懐かしむ

二院クラブという会派がかつて参議院にあった。正式には第二院クラブという。市川房枝、青島幸男、横山ノックなどが所属した。二院や第二院とは参議院の別称。第一院すなわち衆議院に議席を持つ政党とは一線を画し、参議院の独自性を守りたい議員が集まっていた。

二院クラブには大本がある。緑風会という。1947（昭和22）年の第1回参議院選挙に無所属で当選した議員たちが核となり、所属議員は92人に及んだ。片山哲率いる日本社会党が約50、吉田茂率いる日本自由党が約40の議席であったから、緑風会が参議院の最大会派になった。以後は下り坂になるが、それでも戦後しばらくそれなりの勢力を保つ。もちろん参議院だけの会派。衆議院にはひとりも居ない。しかし緑風会を無視して議会政治はできない。昭和20年代の片山や吉田の政権には緑風会の議員が入閣していた。

はて、緑風会結成の所以は？　そもそもなぜ参議院の初めに無所属議員が大勢いたのか。参議院の前身と呼べるのは帝国憲法下の貴族院である。議員は世襲や華族間の互選や勅選で任じられていた。ところが後継役として戦後憲法の定めた参議院の議員は衆議院と同じく国民の選挙によるものへ。でも第1回選挙では衆議院の政党が参議院にまで十分に候補を立てられなかった。旧貴族院議員から参議院に無所属で立候補する者も多く、そうしたら大量当選した。

そのとき、貴族院から参議院に転じた無所属議員のひとり、作家の山本有三に、政界の黒幕、後藤隆之助が囁いた。貴族院の意義とは何だったか。衆議院を根城とする民衆政党は、選挙のたびに人気取りにばかり走って、国の道を誤らせる可能性が高い。そんなポピュリズムを抑止すべく働いていたのが貴族院だろう。参議院はその役目を受け継ぐべし。衆議院と被らぬ会派を育て、衆議院を牽制するのが、第二院の使命！　山本は乗った。緑風会誕生譚である。

後藤の思想は戦後民主主義から見て旧弊だったろうか。そうでもあるまい。日本は米英の民主主義を手本にしてきたという。英国の上院は今日も国民の選挙を経ない貴族議員らで構成されている。米国の上院はというと、選挙もあれば、下院と同じく民主党と共和党の議員で占められる。が、上院に託された思想は下院と明らかに違う。上院議員は各州の人口に関係なく全州各々定数2。ニューヨークもアラスカも、等しく合衆（州）国を構成する州である限り、同数の代表を出す。東京も沖縄も議員定数は同じみたいな話だ。英米では、そうやってこそ、民衆政党の暴走や地域間の不平等が抑制されるとの思想が、現代にも生きている。

そう言えば、英国の社会主義者、ウェッブ夫妻が提案し、昭和初期の日本でも注目された新しい二院制の構想もあったっけ。議会を政治議会と社会議会に分ける。前者は外交や軍事に、後者は福祉や文教に特化する。同じことを二重に審議する二院制はムダ。それぞれが専門分野を徹底審議したらどうか。夫妻はそう考えた。

国会改革というと、議員の定数や歳費、あるいは選挙制度の議論ばかりの印象がある。身を切るとか切らぬとか、1票の格差云々とか。そんなことよりも二院制の意義を問うことの方が重要ではないのか。第二院があるならもっと独自性を！　参議院は衆議院と別個の党派のみ、若しくは無所属議員のみで構成されるべしと憲法で決めるくらいでもいい。そうでなかったら一院制でも構わぬのではないか。

緑風会的なるものの居ない参議院なんて、気の抜けた炭酸水のようなものです。

（2022/06/30）

増上寺幻想――首相・将軍・大権現

安倍晋三元首相の葬儀が営まれたのは芝の増上寺。徳川家康と縁が深い。家康はこの寺を篤く信仰した。家康の葬儀も増上寺で行われた。家康が戦場に奉持して必勝を祈願していた、黒本尊と綽名される阿弥陀如来像も、増上寺に奉納されている。江戸幕府の守り本尊ということであろう。

家康という人は覇王となるべく権謀術数の限りを尽くしたが、獲得した大権を子々孫々に伝えようとする執念がまた並大抵ではなかった。歴史から、覇王の家の持続には初代のカリスマ性が大事とも学んだ。たとえば源頼朝を見よ。鎌倉幕府を開きはした。が、肝腎の平家との合戦はもっぱら弟たちに任せた。本人に決定的武勲を欠いた。カリスマ性が足りない。結果、源氏あってこその幕府にならなかった。頼朝の妻の家の北条氏の勝手にされた。続く室町幕府はもっと拙かった。初代将軍、足利尊氏は、南朝か北朝か、天皇か将軍か、天下をどこに一統すべきかを示しきれずに終わった。それでは将軍家にカリスマは宿らぬ。幕府は名ばかりとなり、世は分裂を繰り返した。太閤秀吉はというと、これはもう戦争のやり過ぎである。国内を固めるべきときに海外出兵し、家康の権力奪取を容易にした。

家康は彼らの轍を踏まぬように努めた。関ヶ原の合戦はむろんのこと、大坂冬の陣でも、夏の陣でも、老いてなお陣頭指揮を怠らなかった。徳川の武勲を家康自らの武勲とし、滅ぼすべき敵もきちんと滅ぼし、無駄な戦は慎む。初代将軍としてカリスマ性を充塡しきった。新しい幕府は安泰か。いや、家康があの世に旅立ち、昔の思い出として墓所に祀られるだけになっては、威光も薄れざるを得まい。

どうするか。死してもこの世に生き続けている感じが欲しい。家康のブレーンであった天台宗の僧侶、天海が見事に工夫した。死した家康は東照大権現とされた。権現とは神と仏の一体化したものだろうが、権と現の2文字で構成されているのは伊達ではない。この世にいつも居て、日々現れて、強い権勢を示すから権現なのだ。しかも、天海によれば、東照大権現は権現の中でも山王権現と同体という。山王権現とは比叡山から生まれた神仏混淆思想のひとつの理想的形象だ。聖なるあの世と俗なるこの世は神仏を兼ねるひとりの権現によって統べられていて、この世を統べるとは万民に幸福をもたらして天下を泰平にすることだと考える。家康は、江戸に幕府を開き、長い戦乱の世を終わらせたことによって、衆生に利益をもたらし、聖俗を貫く絶対権威かつ権力としての一仏一神、すなわち山王大権現こと東照大権現と化した。そのように天海は説く。

そんな東照大権現はどこに居る？　静岡の久能山にもだが、やはり日光だ。日光は江戸の真北。北極星の輝く方向。道教では北極星を天皇大帝と呼ぶ。日本の天皇の語源はそこにあるとも言われる。さらに付け加えれば、天海によると、東照大権現は天照大神よりも格が上とされる。

家康と天海はこのようにして、武家の棟梁たちの直面してきた難題の解決をはかったのだろう。天下を泰平にした実力者がこの世でもあの世でも一番偉い。将軍は天皇の上に、大権現は天照大神の上にあると考えてもよい。家康は死してこそ、徳川の権威と権力を完成させたのか。日光の天と地で輝くことによって。天海の名プロデュースである。

自民党の三原じゅん子参議院議員は「日本中、いえ世界にも、ずっと永遠に輝く光となった安倍元総理がお導きを頂けるんだと思います」と述べたそうな。東照大権現を思い出した。今日のこの国に天海は居るのかしら？（2022/08/04）

〝反共の帝国〟の終わり

1922（大正11）年6月、加藤友三郎内閣はシベリアからの撤兵を決めた。ちょうど100年前だ。出兵が始まったのは18（大正7）年8月だから、撤兵まで約4年。戦死と戦病死を合わせると4000人近く。戦費も膨大。そこまでしても、17（大正6）年に勃発したロシアの共産革命の広がりを食い止めたかった。できうれば、反革命派の親日政権をシベリアに樹立し、共産主義から日本を守る緩衝地帯としたかった。ところが失敗した。あとは手のひらを返して日ソの国交を開くしかない。北洋漁業という差し迫った問題もある。しかし、そのせいで共産主義に国内へ浸透されてはまずい。国交を開いた日ソ基本条約の調印は25（大正14）年1月。国体の変革や私有財産の否認を求める者を取り締まる治安維持法の公布が同年4月。両者は深く関係する。

国体の変革とは天皇制廃止の言い換えと考えてもよい。明治維新の二枚看板は王政復古と文明開化。天皇中心の国家体制と、資本主義に貫かれた社会とを、両立させるべく努めてきた。ところがソ連は二枚看板の両方を覆しかねない。何しろ革命で皇帝一家を皆殺しにする極端さだ。わが国への革命の波及だけは食い止めねば！　シベリア出兵から治安維持法の制定までで、反共という一種の国是が定まったのだろう。日本は言わば反共の帝国になった。

ここでポツダム宣言受諾の経過を思い出そう。近衛文麿や平沼騏一郎は、米国の原爆投下よりもソ連の参戦に慄《おのの》いたと思われる。ソ連軍は朝鮮から九州へ、樺太から北海道へ、すぐ到達しうる。革命を起こされる。そうなるくらいなら、君主制でなく共和制とはいえ、米国に従う方がまし。反共のための方便としての親米。戦後日本の保守政治はこの理屈でできた。反共の帝国は戦後へと連続した。

さて、戦後における反共なる目的は、日米安保体制や、吉田茂と特に通じる台湾と、岸信介と特に繋がる韓国との連帯だけでは、果たされない。治安維持法はもうないのだ。日本国内で増殖する親共・容共分子の数を常に殺《そ》ぎ落とし、選挙で左翼に勝たせぬことが重要。そのためには宗教が有用。経済機構の革命よりも人間精神の革命を説く創価学会とも、日本を罪深いとする教義を含む旧統一教会とも、反共の一点を共有できれば、裏か表で繋がりうる。戦後保守による反共のための無節操なリアリズムである。

1991（平成3）年、ソ連崩壊。翌々年の総選挙で、自民党が結党以来、初めて下野したのも、むべなるかな。日本の保守は、反共すなわち反ソという、分かりやすい旗印を見失い、あのときから漂流し始めていたのだろう。反ソを唱えてきた、宗教者中心の「日本を守る会」と、文化人・財界人中心の「日本を守る国民会議」は、合同して日本会議に生まれ変わり、憲法改正や家族の復権を唱えだした。旧統一教会も同様だろう。ドメスティックなことを唱えれば生き残れると思った。保守政治家はというと、反ソを反中や反北朝鮮に置き換えたり、日本の伝統を礼讃したりしてきた。

そうやって約30年。大国となった中国は共産主義というよりも帝国主義の理屈で動いているのだろうし、明治維新以来、この国があれほど守ろうとしてきた天皇や資本主義への思いも変わってきているのかもしれない。米国との関係も難しくなってきた。そんな中、〝反共の腐れ縁〟が絡んだと思われるかたちで、元首相が斃れる。それなりに取り繕われてきた反共の帝国の底が抜けた気がする。戦後保守の賞味期限がついに切れたとも言える。脛に傷少なく残りしものは、もしかして日本共産党だけかもしれません。

(2022/09/01)

それからの暗殺者――血盟団事件異聞

團伊玖磨《だんいくま》。『夕鶴』に始まる七つの歌劇や六つの交響曲、はたまた童謡『ぞうさん』の作曲家。週刊誌『アサヒグラフ』に『パイプのけむり』を36年に渡り連載した名随筆家でもある。旅を愛し、旅の経験を作曲や文筆に繋げた。でも彼の行きたがらぬ場所もあった。茨城県である。

理由は何か。作曲家の祖父は團琢磨。福岡藩の武家の出で、明治初期に米国留学。技術官僚として官営の三池炭鉱を切り盛りし、同炭鉱が三井財閥に払い下げられると、琢磨も共に天下り、ついには財閥全体を統轄する三井合名会社の理事長に。維新の勝ち組というか出世頭というか。

そんな祖父が東京の日本橋の三井本館前で射殺された。１９３２（昭和７）年３月５日の午前11時25分。安倍晋三元首相が大和西大寺で狙撃されたのも11時半頃。明るくて狙い易い時間帯なのだろう。犯人を菱沼五郎という。満19歳。日蓮宗の僧侶、井上日召を盟主と仰ぐ血盟団のメンバー。一人一殺主義で有力者を次々と屠り、国家改造の火を付けようとした。既に2月9日には、同志の小沼正が、日銀総裁や蔵相を歴任し、金解禁を先導した井上準之助を、東京の本郷で、やはり射殺していた。井上は民政党の総務として総選挙の応援演説に各地を回る最中だった。

この血盟団による事件は、直後の五・一五事件とセットであった。2月の総選挙で民政党を破って成立した政友会内閣の犬養毅首相が、首相官邸で、海軍の三上卓中尉らに撃たれ、死に至る。事件の中心には海軍青年将校グループが存在し、リーダー格は霞ヶ浦の航空隊に居た藤井斉大尉だった。藤井は日召の住む大洗の寺に出入りし、そこに、農本主義者、橘孝三郎の率いる水戸の愛郷塾の面々も加わる。霞ヶ浦と大洗と水戸。みんな茨城。菱沼五郎は茨城の農民の、小沼正は茨城の漁師の家の出だ。結局、茨城の怨念が財閥と政党の力を大きく殺いだ。

確かに茨城は日本の近代化の恩恵を大きく受けてはいなかったろう。第一次産業と小商工業が主体の地域。東京の一部階層だけが良い思いをしている！　農本主義思想が負け組の怨嗟の声を結集した。おまけに茨城は海軍航空隊のメッカ。その頃の飛行機の単価は今日と違って安め。軍備を空軍に集中すれば、大艦巨砲主義のために国民に大負担を強いずに、国は守れる！　山本五十六から大西瀧治郎、源田実に至る、霞ヶ浦的信念であった。貧しい農漁民にも優しい、低予算・高効率の軍備が空軍。農本主義と飛行機を結びつける不思議な場所が霞ヶ浦だった。

　とにかくこうした一種の茨城的な理路のもと、團琢磨も殺された。そのとき伊玖磨少年は満7歳。トラウマになった。その後の暗殺者たちの成り行きもとても気にした。藤井大尉は計画実行の前に上海事変で戦死していた。日召、菱沼、小沼、三上中尉は死刑を求刑されたが、国民から助命嘆願が殺到したせいもあって、揃って極刑を免れた。しかもそれぞれ恩赦を受け、太平洋戦争前には出獄。戦後も活躍した。政界の黒幕になった者もあった。菱沼はというと、漁協を支持母体として茨城県議会の自民党の重鎮となり、県議会議長も務めた。彼なりに第一次産業重視の人生を全うしたとも言える。「祖父を殺した人でも、刑期を終えてまた活躍するのに文句はない。しかし、当選を繰り返し、権力を得たとなると、あの暗殺にお墨付きが出ている気がしてね。民主主義とはそんなものですか」。約四半世紀前にお話を伺ったときの團さんの憂い顔を、何やら思い出すこの頃です。(2023/02/02)

Ⅲ　国民生活をどう守るのか——下意上達にブラヴォーを

死者の名前は誰のもの?

八代亜紀の『もう一度逢いたい』がヒットする1976(昭和51)年の秋。通っていたカトリック系の中学校で、鎮魂ミサがあった。全校生徒の前で、司祭がこの1年に亡くなった卒業生全員の名を読み上げる。長かった。何十人かは居ただろう。ようやく終わり近く。司祭が恭しく言った。「ヤシロ・アキオ」。間髪を入れず声が飛ぶ。「もう一度逢いたい!」

どっと笑いが来た。私はクラシック音楽ファンだったから、ヤシロ・アキオとは、中村紘子の愛奏するピアノ協奏曲を代表作に持つ作曲家、矢代秋雄と知っていた。なのに、つられて笑った。だって、おかしかったのだもの。

しかし、私はあの日のことをなぜよく覚えているのだろう? 八代亜紀と矢代秋雄のせいもある。が、それだけではない。死者の名前の延々たる読み上げに、同じ場所で学んだ先輩たちの魂が内に入り込んでくるような、妙な気分になったのだ。あの日確かに、愛校心というか、先輩・同輩・後輩と一体という気持ちが芽生えた。母校で習ったフランス語で言うとソリダリテだ。連帯心だ。直接は知らずとも、その人のために涙も流せる。そんな気持ちだ。

カトリック教会には「死者の日」と呼ばれる儀式の日がある。中世からあるらしい。11月2日と決まっている。教区内の信徒のうち今年は誰が死んだのか。信者を集め、司祭が死者の名前を読み上げる。中世の村なら、みんな知り合いかもしれない。涙して、教会のもとでの信仰による連帯心を深める。

私は想像する。カトリック教会のこの手法がフランス革命以後の近代国民国家の形成に力を与えたのではないか。フランス革命政府は、革命実現のための犠牲者を祀ることに熱心だった。追悼の式典を頻繁に行った。革命はキリスト教を否定しようとしたが、その式典は「死者の日」の形式をなぞらざるを得なかっただろう。追悼の言葉と葬送音楽に、たくさんの死者の名前をセットにするのである。

中世の村とは時代が違う。死者のことを直接に知らない人が多い。でも、そこにソリダリテは生まれる。死者の人数を名無しで告げられるのと、見ず知らずでも名前で言われるのと、何れが人を涙させるか。答えは知れている。

死者の名前から、その生ける姿を想像せよ。彼らを屠った敵への憎しみをかきたてよ。

そのようにして革命フランスは民衆を連帯させ、国民を創造したのではないか。結局、涙の力なのだ。

この方法が他の国々に真似られていったのだろう。日本なら、靖国神社の祭神名票や広島と長崎の原爆死没者名簿が思い浮かぶ。堂々と公開されているものなら、沖縄・摩《ま》文仁《ぶに》の丘の「平和の礎」にとてつもない執念で刻まれてきた戦没者の名前がある。死者の名前がナショナリズムを生む。

しかも、そういう習慣は、革命や戦争だけでなく、災害や事故や犯罪の犠牲者の名前を全員報道しようとする姿勢にもつながっているのではなかろうか。名前があってこそ、よりたくさんの涙が出、報道の価値も上がるわけだ。

だが、死者や遺族の側から見れば、不特定多数に名前が晒されるのは、プライヴァシーの侵害とも言える。死者の名前を涙の安売りに使うな。情念の動員にはうんざり。一過性の連帯心よりも確固たる個人情報の秘匿。京都アニメーション放火事件の犠牲者の名前の公表に対し、人々の抵抗感は大きかった。フランス革命以来の常識が賞味期限を迎えつつある。そんな気がする。

名優、中村伸郎の一句を思い出す。「除夜の鐘おれのことなら放っといて」(2019/09/26)

社会保障と鬼

32兆6234億円。厚生労働省が8月に出した、来年度の一般会計予算概算要求の金額である。本年度の概算要求と比べて、約2％、増えている。

厚労省の予算は、ほとんどが社会保障関係である。その他をひっくるめての、政府全体の本年度の社会保障関係予算は、一般会計予算の総額の33・6％を占める。来年度はもっと多くなるのが、ほぼ確実になった。

ちなみに、満洲事変や第一次上海事変の頃のわが国の国家財政に占める軍事費は約3割5分だった。今日の社会保障関係予算と同比率である。あの頃の日本は軍国主義国家と呼ばれるが、それに倣えば、今の日本は社会保障主義国家というところだろう。

高齢化はいやでも進む。福祉の水準をなるたけ落とさぬようにと考えれば、出費は今後も増すだろう。軍国主義が国家財政を破綻させていった昭和10年代と同じことが、社会保障主義によって起きつつあるのかもしれない。自民党が憲法改正草案に「家族は互いに助け合わなければならない」と入れているのは、国家が社会保障からの撤退戦を始めたいからなのだろう。

だが、撤退戦はそもそも可能か。歌舞伎の『茨木《いばらき》』を思い出す。河竹黙阿弥《もくあみ》の作で、五代目の尾上菊五郎が初演した。『平家物語』や『前太平記』が下敷きになっている。京の都の羅城門に茨木童子なる鬼が出るというので、源頼光の家来、渡辺綱が退治に行く。が、鬼の腕を切り落としただけで逃げられる。綱が腕を護っていると、綱の養母が訪ねてくる。鬼の腕を見たいという。見せてしまう。すると養母は正体を現す。茨木童子が化けていたのだ。

鬼は母にも化ける。油断大敵。が、国文学者、島津久基は、大正期にこの話の元ネタを『今昔物語』に見つけた。

猟師の兄弟が夜に森に入り、鹿を狙っていた。すると兄の髪を上から謎の手が摑む。鬼か！　兄は驚き、慌てた弟が兄の頭上に矢を放つと、見事命中。鬼の片腕が落ちてきた。兄弟が家に帰ると、留守番をしていたはずの老母が床に臥せって痛がっている。片腕がない。介抱しようとすると、老母は子供たちを襲ってきた。兄弟は家を捨てて逃げた。母親は死んだ。

『今昔物語』は、この話の教訓を次のように述べて結ぶ。人の親は老いると必ず鬼になり、子を食おうとする。

『平家物語』や『茨木』の原話と思しきものは、老親は子に害をなすから、子は見捨てて逃げるが勝ちという、とんでもない筋書きなのであった。

年老いた母親が夜に徘徊し、外で食べ物を探すので、止める子が親に暴力をふるい、ついに親の養護を放棄したか、親殺しに至って、親は鬼になったから仕方ないと開き直った。そんなことかと想像する。親が鬼になる話とは、子が鬼になる話でもある。

「鬼は外、福は内」という。この台詞が、鬼に「外へ出ていけ」と言いたいのだとすれば、鬼はもともと内に居るのだろう。柳田國男の弟、松岡静雄の『新編日本古語辞典』の「鬼」の項目を引くと、本来は「実在人の霊魂の意」と書いてある。つまり鬼とは我々の内なるものである。家族の情愛が深いはずの遠い昔においてそうだとすれば、家族が名ばかりのものに堕してゆく近現代に「家族は互いに助け合わなければならない」で済むはずはない。

進むも地獄、退くも地獄。社会保障を後退させれば、人の世に鬼が跋扈するだろう。人が鬼の本性をなるたけ現さずに生きるためには、消費税を幾ら上げても、福祉国家はやめられまい。(2019/10/03)

天叢雲剣よ、洪水を生き延びる道を教えよ

平河町。東京都千代田区の町名である。二丁目には全国治水砂防協会の会館、通称砂防会館がある。本館は最近建て替えられたばかり。元の建物が竣工したのは1957（昭和32）年だった。そのとき入居したのが自民党。現在の党本部の建物ができる66（昭和41）年まで10年近く、党本部は砂防会館に間借りしていた。

平河町の南隣は永田町。国会議事堂や議員会館や首相官邸がある。そして、永田町の東隣は霞が関。官庁街である。

政治は地図から見えてくる。立法の街、永田町と、行政の街、霞が関とが、持ちつ持たれつなのは言うまでもない。では平河町は？　あるのは砂防会館だけではない。都道府県会館や全国都市会館も建つ。永田町に地方の声を届ける拠点が平河町だ。陳情に来る地方の人々がたむろしてきた町なのだ。

陳情には工場誘致も新幹線建設もあったろう。が、東アジアの政治は結局、治水に尽きる。中国なら灌漑や運河開削。日本なら水害予防。八岐大蛇《やまたのおろち》は、氾濫しては人々の生

命財産を奪う、無数の河川の象徴と言うではないか。三種の神器のひとつ、天叢雲剣《あめのむらくものつるぎ》は、退治された八岐大蛇の尻尾から取り出されたと、神話は伝える。皇威は暴れ川を鎮めてこそ保たれ、そこにこの国の政治の核心があるとの含みだろう。

平河町から永田町に治水の要求が押し寄せる。それを永田町が霞が関に投げる。ダムや堤防や放水路が建設され、保全されてゆく。戦後日本が土木国家や土建国家と呼ばれた所以である。

もちろん、近代土木国家の起源は明治に遡る。維新の目的を明らかにした五箇条の御誓文の第三条後半は「人心ヲシテ倦《うま》ザラシメン事ヲ要ス」。国民の積極的に生きる気持ちを失わせないのが、国家の務め。そんな意味だろう。

パウル・マイエットという明治政府のお雇い外国人が居た。彼はこの第三条後半に関わる建言を、１８７８（明治11）年、大蔵卿だった大隈重信に行っている。マイエットは言う。日本には災害が多すぎる。水災、風災、震災、火災の四本立てだ。国民が額に汗して財を築いても、たちまち損なわれる率が、他の文明国に比べて高い。それでは国民のやる気は殺がれる。国家の発展も望めない。外国からの信用も得にくい。大隈を慌てさせ、明治政府に深く突き刺さった建言だった。

そこから近代日本の政治の基軸が生まれていったのだろう。自民党本部が砂防会館にあったのも、自然だった。

だが、今日の日本の政治はすっかり変質した。平河町からの声がとても小さい。何しろ民主主義なのだ。一票の格差があってはならないと言う。国会議員には、地方代表が減り、大都市部の代表が増える一方。

おまけに第一次産業の衰退が著しい。洪水による大規模な農業被害も、国民の大きな声をもはや喚起しない。国土の均衡ある治水は票にならない。２０１１（平成23）年以後、国土強靭化が叫ばれているはずなのに、実は治水予算は、民主党政権時代から今日の安倍政権の時代まで、一貫して低めに抑えられていると言える。水害の激甚化する時代とまるで平仄《ひょうそく》があっていない。そこに、緊急時の公共の広報が、命を守る行動を自己責任で取ってくれ、と聞こえる文言になってきては、治水への国家意思が弱まっている印象さえ受ける。

日本は八岐大蛇が大暴れする国に戻りつつあるのか。人心は倦み、荒んでゆくだろう。大都市部だけが上手に生き残れるはずもない。天叢雲剣の精神を思い出し、土建国家に戻っていいじゃないか。平河町、カムバック！（2019/11/21）

令和の苛政はデジタル庁から始まる？

菅義偉新総理はデジタル庁を作るという。平井卓也デジタル改革担当相も誕生した。疫病対策でひとり10万円の特別定額給付金を配るのに、思いのほか時間がかかった！　行政のデジタル化がもっと進んでいれば！　国民は怒っている！　そのあたりが大義名分だろう。

だが、どんな大義にも裏はある。たとえば電通の過労自死事件。過大な残業時間が、誠実な女子社員に死を選ばせた。残業時間を制限せねば悲劇は繰り返される。働き方改革が叫ばれた。働く者の誰もがくたびれすぎたくはない。民の声が味方に付いた。でも、基本給与が上がらぬとすれば、残業代の減る分、労働者は貧しくなる。企業は人件費を抑えられる。過労死は悪！　この立派な大義の裏には、資本主義の冷酷なメカニズムが働いてもいる。

すると、デジタル庁設立構想には、どんな裏があるというのか。デジタル改革担当相はマイナンバー制度の担当も兼ねる。日本のマイナンバーにアメリカで相当するのはソーシャル・セキュリティー・ナンバー（SSN）だろう。この番号によって、個人のおよそお金に関わることはすべて、銀行口座も、加入する保険も、納税額も、カードローンの利用状況も、国家に把握される。収入も支出も一目瞭然だ。

マイナンバーは社会保障・税番号とも呼ばれる。やはりアメリカのSSNに似た意図で作られたのだろう。ところが仏作って魂入れずの状態が続いてきた。そこを打開する好機が疫病禍で訪れたのだ。今後は、マイナンバーと銀行口座等の紐づけが強く求められてゆくと思う。しかも国民の抵抗は少なそうだ。大義名分が付いている。貰えるときはすぐ貰いたい。でも国家がしょっちゅう特別定額給付金をくれるはずがない。やはり基本は、国民からもっと税を取りたいためのマイナンバー。社会保障も、個人情報が赤裸々にされれば、切り詰められやすくなるかもしれない。「実はまだお金をお持ちじゃありませんか、ご家族に豊かな方もおられるようですよ、自助と共助をよろしくね」なんて言われちゃって。

そして、新内閣が河野太郎行政改革担当相を目立たせていることにも注意すべきだ。デジタル化と行革は当然リンクする。マイナンバーによる国民の詳細な情報の一元的把握が進み、そこにＡＩを導入した迅速な判断と処理が組み合わされれば、官僚機構の大幅な省力化が可能になる。縦割りの弊害が打破され、要らない部局が増え、役人の数も人件費も削れ、政府は痩身になる。国民も応援するだろう。公務員はいつだって多すぎる！　そう信じて怒るのは民間と相場が決まっている。菅首相はそんな民の声を容赦なく動員し、明治以来のエリート官僚制国家の伝統に最後の鉄槌を下そうとするだろう。「小さな政府」への革命を進め、民の財布を透明化し、税と社会保障を、個々人の情況をつぶさに把握しつつ最適化する。もちろん、税金はより高く、社会保障はより低く。新内閣の予見させる未来ではないか。模範は国民情報管理先進国のアメリカと中国になる。経済成長が滞り国家財政がかつかつになれば、どこの国もそんな道を行く。

デジタル庁とかけてアダルト・ビデオの監督さんととく。その心は？　丸裸にするお仕事です。（2020/10/15）

捺印の赤い色は血判の色

捺印がない書類は決裁不能！　電子メールで送っても仮の扱いにしかならない。早く捺印した紙を送れ。慌てて朱肉を探し、赤色のポストに走る。コロナ禍でリアルな出勤の減った分、そんなことが増えた。デジタル化の敵はハンコ！　菅内閣の錦の御旗に靡きたくもなる。

なぜ日本では捺印の文化が徹底しているのか。ハンコは古代メソポタミアで使われ出し、東漸して中国の諸王朝の律令制度にフィットした。中央集権と官僚制と膨大な事務書類は三位一体で、書類の偽造を防ぐにはハンコが一番。その仕掛けを日本は701（大宝元）年の大宝律令で真似た。以来、ハンコは脈々と伝わり、世界でも稀な印鑑登録制度なる仕組みを持つ国として現在に至る。

一般的にはそんな説明だろう。でも、本当か。日本で律令制は短命だった。すぐ貴族や寺社が勝手を始め、官印や公印の重みは減じた。天皇の御璽さえあまり使われなくなった。平安期には署名が幅を利かせ、捺印の文化は以後何百年か途切れた。ところが南北朝期から武家を中心に復活する。

　ここで唐突だけれど、三島由紀夫が切腹したのは、ちょうど50年前の１９７０（昭和45）年11月25日だ。三島の私兵である楯の会の面々と陸上自衛隊の市ヶ谷駐屯地に乗り込み、事に及んだ。楯の会は68（昭和43）年秋の誕生だが、それに先んずる同年２月25日、三島は同志の若者たちと、迫りくる左翼革命に立ち向かう誓いを立て、連署血判し、さらに互いの血を呑み合っている。誓いに重みを持たせる手段は自らの血で赤い判を押すこと。古代中国などに類似例を見つけられなくもないが、かなり日本に特殊な習慣と思ってよさそうだ。

　すると血判の起源は？　案外と新しい。確実に遡れるのは南北朝期の１３３８（延元3）年だ。後醍醐天皇に忠誠を誓う南朝方の武将、菊池武重が、南朝不利の中、それでも一族の結束を固めようと血盟状を作った。以来、血判も流行るが、ハンコも血判を後追いするかのように武士の世界で用いられだす。

　ならばこう推測できないか。朱の判は血判、朱肉は血の代用だと。いちいち指を切っていては大変なので、ハンコが新しい意味合いで復活してきたのだと。日本の古代に持ち込まれた、書類の正当性を示すためのハンコは、署名に取って代わられ廃れた。戦国武将も書状には花押という特殊な自署を記す。本物の証明は、誰でも押せてしまうハンコよりも花押の方が良い。それなのに多くの武将がハンコも使った。理由は「この契約、おろそかにはせぬ」という決意表明以外に考えられない。今日でも印影が薄いと嫌な顔をされたりするが、あれは押印の際の情熱が不足していると思われるせいではないか。

日本における朱色の押印とは、一見、法的に見えて、実は道徳的意味合いが強く、しかも日本人の血への特別な信仰と繋がるように思える。その究極には万世一系の皇統の血があるのだろう。血判とハンコという世界に稀な文化を併せ持つ国の無意識には、そういう倫理学が潜んでいるに違いない。

とすればハンコなくして日本なし。でもデジタル化は止められまい。なら、指紋を血の色でパソコンや携帯の画面上にスタンプできる仕掛けを普及させればよいのでは？　これぞ固有文化とデジタル化の両立であります。（2020/11/05）

柳田國男はベーシック・インカムがお好き？

囮《おとり》艦隊。太平洋戦争のフィリピン決戦の際、日本海軍は、実は艦載機の揃わぬ囮の空母群を用い、米海軍の機動部隊を主戦場から遠くへと誘いだした。その隙を衝いて戦艦大和等はフィリピンに突入した。戦果は挙がらなかったけれど。

菅政権の戦法は今のところ日本海軍より上手らしい。日本学術会議の提出した任命候補者から6人を外すと加藤勝信官房長官が公表したのが10月1日。そこから起きた大騒動のせいであまり目立たず、政府は10月9日、官房長官を議長とする成長戦略会議を立ち上げると発表し、1週間後には早くも初会合を開いた。日本学術会議は政府内の恒常的な大組織だが、政策立案にはあまり絡めない。対して成長戦略会議は臨時の小組織だけれど今後の国策の肝を実質的に決めてしまうだろう。

では成長戦略会議は何を目指すのか。会議のキーパーソンは、中小企業の整理がこの国の生産性を高めると主張する、元金融アナリストのデービッド・アトキンソン氏と、ベーシック・インカムについてさかんにアドバルーンを上げ始めた、経済学者の竹中平蔵氏ではあるまいか。二人の組み合わせから、私は民俗学者の柳田國男を思い出す。

柳田はエリート農政官僚だった。農商務省に入ったのは1900(明治33)年。柳田は思った。この国には猫の額ほどの狭い土地にしがみついている農民が多すぎる。永遠に生産性は上がるまい。彼らをなるたけ淘汰し、農家の規模を大きくすべし。柳田の成長戦略だった。

だが、当時の人口のかなりを占める小規模な農民に冷たい政策をとれば、窮民が増え、民情は混乱するだろう。そのとき日本人は倹《つま》しく貧しい暮らしにどこまで耐えられるか。政府が助けずとも、自助や互助の精神を発揮して生きていける限界はどのあたりなのか。

そこに農政官僚が民俗学者に転身する契機があったのだろう。柳田の最初の民俗学的著作は、宮崎の山奥の狩猟民のミニマムな暮らしを記録する『後狩詞記《のちのかりことばのき》』だ。それに続くのが、寒さや凶作や飢饉と縁を切れずに生きてきた東北人の生活感覚の結晶としての『遠野物語』だ。豊かな暮らしの話は後回し。日本人が我慢できる最低生活の水準の確定こそ柳田学の初動の志と思う。そんな生活に平然と耐えられる人間を、柳田は日本人の典型としての「常民《じょうみん》」と呼びたかったのではなかろうか。

もちろん柳田は、農村を追われた窮民も都市の商工業地帯に吸収され、豊かに生き直せる道が必ずあると信じていた。が、今日だと同様の話にはなるまい。中小企業の淘汰が促進されるとすれば失業者向けの新たな仕事が何処まで創出されうるか。新産業が大量雇用を生む古き良き時代は終わっている。

10月31日、郵便局の配達ロボットの実験に立ち会い、コロナ禍では感染予防のためにも非人間配達員が一番と、にこやかに微笑む加藤官房長官の姿をテレビで見た。疫病禍を口実に人間の仕事がどんどん減る。生き延びようとする企業は成長戦略の名のもとに人減らしに邁進する。そうして生まれる山のような失業者は「新常民」としての耐乏生活を求められ、ベーシック・インカムという名の、最低生活保障のための定額給付金を貰って暮らす。そんな未来が急激に迫り来る気がする。人間不在の成長戦略に断固反対します！（2020/11/26）

ニッポンの電波を覆う黒い霧

ラジオ放送はなぜ始まったか。楽しい番組を聴きたかったから？　ボーッと生きてんじゃねえよ！　正解は米国で通信機材が余ったからではないでしょうか。

1914（大正3）年からの第一次世界大戦は科学の戦争だった。戦車に毒ガス。そして無線通信！　すべての戦線で膨大な数の無線通信機が用いられた。その特需で大儲けしたのは米国の電機業界である。だが、失敗もした。設備投資をし過ぎているうち、18（大正7）年に終戦。軍需を民需に転換できねば経営危機だ。でも無線通信機に民間の需要があるか。ラジオだ！　受信機を大量生産し、聴きたくなる番組を流せばいい。電機会社自らが競い合うように民放ラジオ局を開いた。ラジオ時代の到来だ。

日本も早く真似よう！　朝日新聞社等が放送事業進出を望んだ。電波行政を司る逓信省は、米国同様に一地域多放送局にし、民放をどんどん認可する方針を示した。試験放送も始まった。

が、そこで23（大正12）年9月1日の関東大震災。被災地では新聞の印刷や配達もままならなくなった。デマが氾濫し、社会は大混乱。このとき日本は国家として学んだ。大災害時に役立つメディアは電波だ。電波の管理こそ国家存立の肝だ。一地域一放送局にかぎり、国営放送にするのがいちばんよい。もしも民放を認め、一地域多放送局化を推進すれば、例えば国家緊急時に放送局同士が相矛盾する報道をし、国を揺るがす事態にも発展しうる。逓信省は手のひらを返した。民放はやめだ！

でも国営放送構想も挫折する。第一次世界大戦後の不況で国家財政が火の車。予算が出ない。なら税金とは別会計にする他ない。聴取者といちいち契約し、受信料を取る。いわゆる公共放送だ。こうして日本放送協会が誕生する。

45（昭和20）年の敗戦時、米国は日本放送協会を解体し、民放化・多局化を推進するだろうと、大方は予想した。けれど違った。占領軍は検閲の容易な一地域一放送局を維持する道を選び、民主化促進のために民放が大切と言いつつ、認可を占領時代の終わる頃まで遅らせた。民放が、大正時代の夢の改めての実現として、朝日や読売や毎日といった新聞社を主たる後ろ盾にして続々と開局してゆくのは、50年代以降である。

不思議にも、そのとき公共放送解体の声は大きくならなかった。米国は民放主体、西欧は公共放送主体、社会主義国は国営放送主体の歴史を刻んでいたのに、日本国民は公共放送と民放を両輪とする特別な道を選んだ。日本のラジオを公共放送が独占していた約四半世紀のあいだに、ラジオ体操や「前畑がんばれ！」や玉音放送やのど自慢で、公共放送と国民感情が既に一体化を遂げていたせいか。放送史の起点にある関東大震災が、公共放送を不可欠と思う、この国の災害大国としての無意識を生み出していたせいか。

とにかく、どちらも大規模な公共放送と民放が共存するという戦後日本の特殊事情は、複雑怪奇な電波行政をかたちづくってきた。公共放送はこの国に必要だが、民放を圧迫してはならない。では互いがどんなバランスで存在すればほどよいのか。基準は曖昧。そしてそこを裁量する官庁は、逓信省改め郵政省改め総務省。黒い霧がかかり、闇に蝶が舞う。政治家にも事業者にも、何かとおいしい暗がりなのです。（2021/04/01）

火力発電は引退しても、原子力発電は永久に不滅です！

五島勉《べん》の著書『ノストラダムスの大予言』が刊行されたのは1973（昭和48）年11月だった。直ちにベストセラー。小学4年生の僕も夢中になった。99（平成11）年の7月、空から恐怖の大王が降り、人類が滅亡するという。第四次中東戦争とそれに伴う石油ショックが始まったのは73年10月。石油依存の産業文明は崩壊すると言われた。皆が滅亡への予感に震えた。『ノストラダムスの大予言』はそこに最高の薪をくべた。五島が90歳で逝ったのは昨年6月。そろそろ1年になる。

最近、バイデン大統領や小泉進次郎環境相の顔を見ると、五島の本を思い出す。『ノストラダムスの大予言』ではない。『カバラの呪い』という長編小説だ。刊行は76（昭和51）年。テーマは地球環境問題。といっても温暖化でなく寒冷化である。70年代の日本には、気象庁の技官、根本順吉の唱えた地球寒冷化説が流布していた。冷害の年も多かった。実情に即した未来予測のようにも感じられた。『カバラの呪い』も根本説を下敷きにする。しかし地球が氷河に覆われる話ではない。寒冷化は何百年かかけて進行する事柄で、文明にただちに影響はないのが本当のところという設定だ。が、そこを大げさにする世界的な闇の組織が登場する。彼らはデータを都合よく解釈し、氷河期は目前で、寒冷化を阻止するには、地球の温度を人為的に上げるしかないと法螺《ほら》を吹く。石油や石炭をますます燃やし、二酸化炭素を増やす。ガソリン車を大量生産して、排気ガスをけた違いにまき散らかす。

原子力発電も拡大の一途！　小説とはいえ、五島の理由付けは正気ではない。原発をたくさん作って運転し、使用済み核燃料を増やしてはプルトニウムを取り出して水爆をどんどん作り、いざというときに大量に爆発させ、その熱で地球を暖める！　人類が凍死するよりはましというわけだ。反対者は抹殺されてゆく。とにかく、そうやって地球寒冷化詐欺をやることで、世界の特権的な産業資本や金融資本がひたすら潤う。まさに大陰謀論小説である。

現在、世界は、地球温暖化を阻止すべく、化石燃料をなるたけ燃焼させない方向で一致しているのだろう。反対者のトランプ大統領は〝抹殺〟された。世界的な闇の組織が機能しているとはむろん思わないが、それに代わって科学という名のブラックボックスが全知全能者を装い、無知な懐疑論者の私には今もなお確信しきれない未来予測を、唯一無二の真理として祭りあげる。諸国の為政者たちは「バスに乗り遅れるな」とばかりに高い目標値を掲げることを競う。4月の気候変動サミットで菅首相は、温室効果ガスの排出量を2030年には13（平成25）年と比べて46％減らすと、国内的議論をすっ飛ばし、世界に事実上の約束をした。小泉環境相の閃きを入れての官邸主導のつもりらしいが、関東軍の石原莞爾もビックリの独断専行とも言えるだろう。国家百年の計が一時の思い付きであってよいものか。日本の産業構造はこの激震に耐えられるのか。無茶な目標を貫徹しようと玉砕的に振る舞って、日本沈没が早まらないか。

まるで『カバラの呪い』の逆さまだ。が、一致しそうなところもある。原子力についてである。温室効果ガス排出削減への小泉環境相の切り札は太陽光発電らしい。けれど、それで数字が届かなければ、そして電力不足が当たり前の耐乏生活を国民が拒むならば、最後に控えるのは二酸化炭素を出さぬ原発にどうしてもなるだろう。削減の数値目標が非現実的な高さを示せば示すほど、原発という選択肢が現実的になってゆく。火力発電は引退しても、地球温暖化問題のあるかぎり、原子力発電は永久に不滅です！（2021/05/20）

〝正社員の帝国〟の興亡

「賃金なり給与なりというものは、職務の難易や技術の優劣上下に対して支払われるものので、勤続年数の長い短いは、一応関係のないものであるべきだ」。「職種の格付けや技能の程度が同じだというなら、自分たちにも同じ大きさの賃金を支払ったらいい」。かくなる思想を抱いた労働者は「同一労働同一賃金」を要求してやまない。

近年の経済コラムではない。社会政策学の泰斗、大河内一男の、1960（昭和35）年の文章だ。その頃の職場には、戦前育ちの正社員が、当然ながら大勢いた。彼らの多くは、事務環境や生産設備の戦後ならではの加速度的変化になかなか付いていけない。戦後育ちの若手正社員に仕事の効率で負ける。ところが給与は年功。不合理だ！　若手が怒った。正規雇用と非正規雇用の対立ではない。正社員の世代間格差が同一労働同一賃金なる言葉を戦後日本に流行らせた。

だが、この議論はすぐに雲散霧消した。何しろ高度経済成長。若手正社員の給与もどんどん上がる。エンゲル係数も急低下。若い世代の不満は縮減される。正社員で居れば将来は明るい。上の世代に文句は言うまい。正社員万歳！

はて、正社員こと、定年までの無期雇用労働者は近代日本にいつ登場したか。文明開化で会社が出来ると、正社員もただちに大勢現れたのか。そうではあるまい。はじめはずっと非正規雇用的な労働者が主流だった。様子が変わるのは、大正後期から昭和初期だろう。重化学工業化が進む。生産工程が複雑化する。経験と勘で仕事をする熟練工を非正規雇用でこき使っていたのでは間に合わない。青少年を雇い入れ、手間暇かけて高度な技能教育を徹底し、他社に逃さぬように正社員的に扱う。労働者を安く使い捨てていては新時代への離陸はできない。日本のブルーカラー系正社員文化とは、そのように育ちはじめた。１９２０年代には、労働争議が多発したが、それは、コミンテルンの陰謀のせいでもあるまい。若手正社員に職を奪われていった、非正規雇用の熟練労働者の怒りが沸騰したゆえであろう。

するとホワイトカラー系正社員文化の方はいつ誕生したのか。少し遅れる。１９３１（昭和６）年の満洲事変以降ではないか。戦争のための統制経済は、事務手続きを際限なく増やしていった。細かな数字の溢れた書類の山が要求された。会社にも官庁にも。守秘義務や組織への忠誠心も大事。非正規ではとても務まらない。事務系正規労働者の大増殖が始まる。この文化が戦後に引き継がれ、食管制度から福祉関係まで、煩雑な何から何までを、長年維持したわけだ。

１９２０年代まではなるたけ非正規雇用。そのあとはやむを得ず正規雇用。それが近代日本資本主義の歴史だろう。正規雇用を人々の人生の目標とさせるための工夫も施されていった。就職機会を限ったり（新卒採用！）、長く勤めれば勤めるほど良い思いができたり（年功賃金！）。かくして〝正社員の帝国〟が極東に栄えた。ところが、今や時代は１９２０年代以前に回帰しつつあるらしい。この国はあまりに物を作らなくなった。ブルーカラー系正社員は要らない。事務はコンピュータがかなりやってくれるようになった。ホワイトカラー系正社員も要らない。そのとき同一労働同一賃金という言葉が繰り返される。一度目はハッピーだったが、二度目はアンハッピーに。非正規雇用の賃金を正規雇用並みに上げるならハッピーかもしれないが、その正反対を目指す意図が見え隠れするように思われるから。

〝正社員の帝国〟の歴史は大正時代からたかだか一世紀で終わろうとしているのかもしれません。儚いなあ。（2022/01/27）

「貧乏人は麦を食え」と朝鮮戦争

岸田文雄首相は池田勇人を敬愛しているという。池田と言えば、1960（昭和35）年の安保騒動で退陣した岸信介首相の後釜だ。首相就任後の総選挙時には、自民党のテレビCMに総裁として自ら登場し、社会保障の充実と大減税を公約して、「私はウソを申しません」で締め、それを流行語にして選挙に勝った。所得倍増計画という、極めて分かりやすく、語呂もよく、大衆の胸を熱くする目玉政策を唱えもした。言葉の政治家だった。が、言葉を踏み込んで使うがゆえに、失言も多かった。

1950（昭和25）年12月7日、参議院の予算委員会でのことである。池田は第三次吉田茂内閣の蔵相として出席していた。労働者農民党の木村禧八郎が米価問題を問いただす。当時の米は食糧管理法の管理対象。米価は政府が決める。何しろ主食だ。公定米価の変動は国民生活に深い影響を及ぼす。池田蔵相はそのとき大胆な米価改定を志向していた。消費者米価なら、今年は10キロで446円なのを、来年は530円ほどに上げたいという。2割近い値上げだ。インフレに誘導し、国民を苦しめる気か！

池田は気色ばむ。大減税をやる。公務員給与も上げる。民間給与も上がるだろう。米価の上昇分は相殺される。無問題だ。木村を上から目線で窘《たしな》める。木村は反論する。蔵相は半年前からの大変事をお忘れか。朝鮮動乱だ。戦争の今後は甚だ不透明。急激な物不足や物価上昇の起きるリスクは高い。外国から従来通りに物が輸入できるとも限るまい。それなのに蔵相の答弁はまるで平時だ。戦争はすぐ終わると決めつけているのか。いざというときは米国に泣きつけば何とでもなると思っているのか。それが吉田内閣の国際センスか。敗戦前後のこの国の食糧不足と狂乱インフレをもう忘れたのか。この時期に主食の大幅値上げとは正気の沙汰でない。木村の質問にそんな気魄が満ちる。

池田もますます激する。朝鮮動乱を踏まえても大丈夫と判断しての米価案なのだ。戦後復興の実を挙げるとは、たとえば主食の価格を国際水準に揃えてゆくこと。日本経済の質が海外に伍しているという証になる。ところが日本米は今、ビルマやタイや韓国に比して3割も4割も安い。来年に2割上げてもなお安い。そこを何年かかけて合わせたい。日本人の所得も米価に沿って増えていくはず。とはいえ、低所得層にお米はかなり割高になるのは否めない。そこで麦だ。日本の麦価は今、米価よりほんの少し安い程度だが、それで既に国際水準に達している。だから麦価は今後据え置く。米はどんどん上げる。池田は言う。「日本の経済を本然の姿に持つて行くには、米と麦の差も大きくしなければならない」。そしてダメを押してしまう。「所得の少い人は麦を多く食う、所得の多い人は米を食うというような、経済の原則に副《そ》つたほうへ持つて行きたいというのが、私の念願であります」。日本社会の本来の姿は「貧乏人は麦を食う」ことで限られた米と麦を適正分配してみなが腹を充たすことにあった。それに戻すのが正しい！　木村は呆然とする。国民全員においしいお米を食べさせたいと政府は考えないのか。格差是認社会か。議場は凍った。

　いま、円安と、地球環境異変と、戦争と、疫病禍が重なり、穀物事情も危うかろう。今秋の麦価改定次第ではパンもラーメンも高嶺の花になりかねない。参議院選挙が真に争点とすべきなのは食糧問題ではなかったのか。戦後日本の迷セリフは繰り返されるのかも。一度目は「貧乏人は麦を食え」として、二度目は「貧乏人は米を食え」として。

(2022/07/14)

優雅で感傷的な日本の蹴鞠

八咫烏《やたがらす》。日本サッカー協会のシンボル・マークである。鳥のキック力は並大抵でない。しかも八咫烏となると神話に登場するこの世ならぬ烏だ。脚が3本もある。きっと蹴転がしの天才だ。そのうえ八咫烏は導きの神でもある。日向の国から大和の国への神武天皇の東征を成功させるべく、高天原から遣わされた烏なのだ。蹴るだけではない。ゴールへの道筋も機敏に見つけられる。これぞ攻撃力の権化。

ところで、サッカー上達のための祈願所として知られ、日本サッカー協会もボールを奉納する神社といえば、京都の白峯神宮である。崇徳上皇を祀る。保元の乱に敗れて讃岐の国に流され、恨みを残して崩御した上皇に、数百年ぶりに京の都に御帰り願おうと、維新期に創建された。でも上皇がサッカーの神様なのではない。保元の乱の際に崇徳上皇の一味とみなされて罰を受けた公卿に難波頼輔が居た。蹴鞠に優れ、その才ゆえか罪を赦され、子孫に蹴鞠の技を伝えた。その頼輔の孫の雅経は飛鳥井家を開き、同家は代々、精大明神と呼ばれる蹴鞠の精を祀った。その屋敷の跡に白峯神宮が建った。精大明神は日本サッカーの神にもされた。

蹴鞠は古代中国で生まれた。12人ずつに分かれて鞠を巡って相争う。それが西に伝わってサッカーになったとも言われる。一方、日本にも伝わり、独特な変容を遂げた。狭いこの国では、大勢で戦うのにふさわしい、広い競技場を作りにくかったのかもしれない。庭などに、柳と桜と松と楓の木で四角形を作って囲い、懸《かかり》と呼ばれる狭めの蹴鞠場を作る。その中で、サッカーで言うボール・リフティングを複数人でやり続ける。鞠が地面に落ちぬようパスを回し続ける。長く続けば続くほどよい。中国のチーム対抗競技としての蹴鞠の選手の練習法のひとつがガラパゴス的に進化したのか。チームに分かれてリフティングの回数を競ってもよい。が、鞠を宙に浮かせ続ける状態を、勝負とは無関係に素直に楽しむのが、日本の蹴鞠の本筋だろう。

藤原成通と言えば白河上皇の側近である。蹴鞠の天才。蹴聖と称された。難波頼輔の師でもある。『古今著聞集』は伝える。成通が鞠を蹴上げ続ける千日行を達成した晩、彼の前に怪しきものたちが現れた。鳥か。違った。3匹の人面猿だった。懸を囲む木々に宿り、蹴鞠のときには鞠に憑く精霊という。彼らは成通に教えた。蹴鞠をするとは、鞠を地面に落とさぬように、皆が心をひとつにすることだ。人は無心となり、心は鞠に移る。蹴鞠の道に皆が徹すれば「国さかへ、好人司なり、福あり、寿ながく、病なし」。聖徳太子もビックリの究極の和を実現するのが蹴鞠道。崇徳上皇の怨霊さえも蹴鞠の輪の中にきっと封じ込められると思ったから、維新政府は京に白峯神宮を建てたのだろう。

そうそう、蹴聖にはこんな逸話もある。ある日、成通は鞠をとても高く蹴り上げた。ポジションを正確に保ち、落下を待つ。ところが落ちてこない。上空で何者かに攫《さら》われた。まるで鳥か鳶の仕業と、人々は噂した。鳶は鵄に同じ。神武天皇の大和平定を助けたのは八咫烏だけではない。金色の鵄も活躍した。金鵄《きんし》勲章の金鵄である。八咫烏と金鵄は上空から自由自在に侵犯的に動く。蹴聖の垂直的・防衛的・立ち木的な鞠のコントロールを容易に攪乱する。

サッカーのワールド・カップの対コスタリカ戦で某選手が蹴鞠の如くおおらかなパスを上げたら、球を敵に奪われて失点し、日本は負けた。そのとき思った。精大明神は美しき日本の心に違いない。が、より古い日本の心は奸智と速度を併せ持つ烏や鳶。そして油揚げを攫えるのは鳶だ！（2022/12/08）

下意上達にブラヴォーを！

連合艦隊司令長官とプロ野球の監督とオーケストラの指揮者は、男と生まれたからには一度はやりたい仕事。そう言ったのは水野成夫と伝えられる。文化放送やフジテレビや産経新聞の社長を務めた。日本共産党史の初期の大物でもある。コミンテルンの指令を受けて中国大陸に飛んだり、党の機関紙、赤旗の編集をしたりもした。思想的に転向しても、中央の命令を絶対化し、上意下達《かたつ》を徹底する、鉄の規律への憧れは変わらなかったのかもしれない。

だが、軍隊でも実際を仕切るのはしばしば参謀たちだ。プロ野球の監督もオーケストラの指揮者も、特に近年はその役割を昔ながらの常識でははかれまい。上に立つ者を主語にして評価を下すのは、もう時代遅れかもしれない。スポーツも音楽も、あるいは映画も、歴史を重ね、実践者たちの技量や経験値は上がり続けていると言ってよい。集団を構成する、優秀な選手やスタッフや実演者の個々の能力を正確に把握し、組み合わせによる相乗や相殺の効果の度合いを算定して、理想の用兵術を見極めるなんて、個人の能力を超えているだろう。今日の指導者に求められるのは、つまらない話だが、結局は調整だ。下意上達《かい》だ。

たとえば、サッカーワールドカップで日本が勝利した、12月1日の対スペイン戦である。采配で重要なのは、ゴールキーパーを除く10人の陣組みの仕方だ。また、それを途中で変えるか否かだ。日本は試合当初から、後衛を3人、後衛寄りの中継ぎを4人、前衛寄りの中継ぎを2人、前衛を1人とし、この布陣が功を奏した。山本五十六か東郷平八郎か。森保一監督は凄いと思いたくもなる。が、アイデアを出したのは中継ぎ役の1人、鎌田大地選手だったという。当人が試合直後に公にした。鎌田はドイツのサッカーリーグ（ブンデスリーガ）でフランクフルトに属している。同チームは4月に欧州のクラブチームの国際大会でスペインのバルセロナを「3―4―2―1」の陣形で破った。今回のスペイン・チームにはそのときのバルセロナのメンバーが被る。同じ布陣で通じるのではないか。

まさに下意上達であろう。出すべき者が知恵を出す。素晴らしい。けれど、上に立つ者からすれば一種の下剋上には違いない。一般論として心穏やかでは居られまい。選手間に嫉妬や不和の生まれる原因にもなりうる。出る杭は打たれ、統率は乱れる。世の常だ。しかし、その難関を切り抜けるために明らかに効いているものがあった。長友佑都選手が対スペイン戦に先んじて対ドイツ戦に勝利した際にインタヴューに応えて連呼した「ブラヴォー！」である。

長友選手は試合の感想を訊ねられているのに、理屈を言わずにブラヴォーと叫び続けた。アとオという大きく強く出しやすい母音を基調とするこの言葉と、それを発した長友選手の腹の据わった発声に一種の呪力があった。まるで南無阿弥陀仏やアレルヤだった。とはいえブラヴォーは神仏には向けられまい。オペラなどで大向こうから舞台に掛かる、同じ人間への称賛の文句だ。長友選手は監督にも全選手にも全ファンにもブラヴォーなのだと言った。それは語源からしておとなしくない。バルバルやバーバリズムのような野蛮さ、凶暴さを表す言葉と関係が深い。称賛が更なる熱狂を生める。攻撃的・積極的な和の精神を起動させられる。あらゆるしこりをほぐしてみんなを前向きにさせられる呪文に、ブラヴォーはなった。

下意上達の果敢な実践と、それを円満化するブラヴォー。久々に希望の持てる組み合わせに出会った思いです。（2022/12/15）

少子化すると〝蛮族〟が来る！――ローマ帝国衰亡史

ローマ帝国はなぜ滅んだか。経済だ、いや、政治だ！　理由は何百も挙げられてきた。滅亡は原因の折り重なって起こるもの。有吉佐和子の『複合汚染』ではないが、やはり複合滅亡なのであろう。

とはいえ、そのときどきに思い出したくなる所説はある。フランスの歴史家ピエール・ショーニュー（1923〜2009年）は滅亡の要因を人口減少に求めた。アウグストゥス帝からアントニヌス朝にかけて、つまり1世紀初頭から2世紀末までの帝国の人口は5500万から6000万に達していたのだが、滅亡の迫る4世紀初頭には、3000万から3500万に激減していた。そうショーニューは推定する。なぜか。疫病や戦乱のせいではない。人々が子を持ちたがらなくなったせいだという。

ショーニューは、帝国の衰退・人口の減少に反比例して、帝国の民の識字率は上昇しているのではないかと考える。読み書きができ、教養が高くないと、帝国で上手に生きられない。社会がそれだけ成熟したのであろう。すると教育費が要る。教育期間も長くなる。子供にお金がとてもかかるようになる。子沢山だとうまくない。人口は急坂を転がるように減り始める。

でも、その代わり、高学歴・高収入の人々が増え、民度は上がるのだろうから、帝国はいっそう繁栄しそうにも思える。だが、よく勉強すると言っても、何を学ぶかが問題なのだ。ローマの繁栄は古代ギリシャの数学とか物理学とか工学とかを受け継いだことでもたらされた面がある。理系尊重だ。右肩上がりの文明の基礎にはいつも右肩上がりの科学技術がある。しかしローマはそこを軽んじた。ローマ人の求めた教養は不要不急の文系とばかり結びついた。

それには宗教が絡む。大人気の新興宗教として帝国を覆い尽くしていったキリスト教だ。現世の幸せよりも魂の復活と来世での救済を求める信仰として広がった。すると何が起きるか。現実軽視である。みんながこの世に興味を失くす。仮想現実としての天国のことを考え、目の前の軍事や交通や土木のことなんかどうでもよくなる。お花畑というやつだ。こうしてテクノロジーが軽視され、理系の人材が減り、現実の質が劣化する。

ところで、そんな帝国の中央の頽廃してゆく文明生活を支えるのは、むろん税金である。帝国が軍事力と警察力で全版図を安定させ、辺境をおろそかにせず、国境を防衛する。人民はローマ帝国の領内に居ることに常に安堵の念を覚え、誇りを持ち、税金を払う。帝国の絶頂期は「パクス・ロマーナ（ローマの平和）」とまで呼ばれた。

ところが時代は完全に変わった。少子化のせいで帝国の広大な領土を維持運営すべき人口の密度が失われ、必要な兵員も充足できなくなった。辺境の防備はすかすかだ。税金を納めても守られないなら、なぜ帝国に服従して居なければならないのか。国境の向こうにはゲルマン民族を始めとする〝蛮族〟が居る。向こうは着実に人口も増やし、全人民が武装し戦闘し、略奪もしてくる。ローマ帝国の民は長年の平和で非武装平和主義に慣れており、軍隊が当てにならなくなったからといって、いまさら自分たちで戦おうとは思わない。かくして国境が崩れて行く。人民はローマにでなく〝蛮族〟に何らかの税を納めて安全を保障される。帝国の中央は税収不足で劣化の度合いを深める。〝蛮族〟は内へ内へと入ってくる。ショーニューー流のローマ帝国衰亡史であろう。

結局、少子化はどうにもいけないようでございます。（2023/02/16）

高度成長期の日本の子供を誰が育てていたのか？

僕は4歳。おかしいなあ。幼稚園の門前で首を傾げて佇んでいる。友達はもうひとり残らず帰ってしまった。迎えが来ないのは僕だけだ。棄てられたのだろうか。涙が滲み始めた頃、ついに親しい人影を認めた。母方の祖父だった。「ごめん、ごめん。仕事が長引いてね。じゃあ、帰ろう」

なぜ、祖父だったのだろう？　そもそもあの幼稚園に僕を迎えに来るのは、母方の祖父母か、あるいは伯母だった。あのとき、母は身近に居ることは居た。しかし送り迎えを控える身体だった。母は2番目の子が生まれるというので、長男の僕を連れ、東京から仙台の実家に戻っていた。サラリーマンの父は東京に居っぱなし。僕は母方の親族に仙台で何か月も面倒を見て貰っていた。仙台の幼稚園にも短いあいだだが入った。1967（昭和42）年のことだ。

そういうことはそのときだけでなかった。母は専業主婦だったが、それでも子育ての負担を軽減したい理由があったのだろう。祖父母が孫の顔を観たがるせいもあった。幼い僕は仙台によく預けられていた。だいたい僕自身も、母が実家で産んだので仙台生まれである。両親から隔てられて、母方の親族の網の目にしょっちゅう包まれるのを心地よく感じ、子供はそのように育つのが普通とも信じていた。

それから4年後。妹に続く3番目が生まれることになった。でも母はこれまでの手を使いにくかった。僕は小学2年生。幼稚園ならともかく学校は休ませられない。結局どうなったか。母が仙台に帰るのではなく、仙台から祖母が東京に来た。母の出産前後の何か月か、飯を炊き、洗濯掃除をしてくれて、僕らは何も不自由しなかった。

そうやって弟ができ、3人きょうだいになると、最初の何年かは大変だ。小学校低学年と幼稚園児と幼稚園前の乳幼児では留守番もさせられない。母は相変わらず主婦業に専念していたけれど、何かと用事や趣味を作る人だったので、家事にもよく限界を呈した。そんなときに現れるのは母の妹だった。叔母である。彼女は仙台から東京に嫁に来て、まめに姉の家にも顔を出し、何かと手伝ってくれていた。仙台から祖母がまたも応援ということもあった。

それでも親族では賄いきれぬとなると、妹の幼稚園の同級生のお母さんとかの登場だ。留守の母に代わり、鍵や財布を預かって家にいてくれて、炊事も集金の支払いも幼い弟の世話も全部してくれる。母は彼女たちにむろんアルバイト料を払っていた。互助組織ができていたのだろう。

高度成長期の都市部の中産階級で子供が数人という家庭だと、多かれ少なかれこんな具合ではなかったか。子沢山時代の名残りというべきか、親には年の近い兄弟姉妹が多く、伯父伯母、叔父叔母が身近に大勢いた。そこに祖父母が加われば鬼に金棒だ。親の居らぬときがあっても、何日も何週も預けられる祖父母の家があれば、子は育つのだ。

日本の都会における親族やご近所のネットワークの機能が目に見えて衰え出すのは1980年代からとする研究もある。少子化が政治の問題になりだしたのは90年代以後であろう。両者には関係があると思う。とすれば、かつての親族やご近所の網の目の復元は最早不可能だろうから、それをせめて公的仕掛けで幾分か代替できないか。たとえば1週間でも半月でも預けっぱなしにしても安心な「祖父母の家」的な保育園を全国各地に何十万人分か作る。国家に祖父母の代役は務まるまいが、かといってないよりはまし。楽しい場所をもしかして作れるかも？　異次元の少子化対策とは本当はそういうものではないでしょうか。（2023/05/04）

Ⅳ　災厄とどう向き合うか——コロナ禍と日本的心性

〝蔓延元年〟のオリンピック

安政7（1860）年3月3日、江戸城の桜田門外で、天皇の攘夷の意向を無視して開国を推進した幕府大老、井伊直弼が、尊皇攘夷派の浪士に討たれた。事件の衝撃は大きく、改元につながった。3月18日から万延元年になった。

政治的・思想的なテロである。が、社会的背景にコレラの大流行もあった。流行《はや》り始めは安政5（1858）年、長崎から。同年夏、江戸で猖獗《しょうけつ》を極め、死者は3万とも伝えられる。『東海道五十三次』を描いた浮世絵師、歌川広重もコレラで逝ったという。その後も全国で流行は続いた。港町から広がると噂された。

なぜコレラが港町から？　黒船来航以来、接触の増えた外国人が病原ではないか。鎖国が一番。外国人を入れるな。攘夷運動の支持基盤は、尊皇心よりも流行り病《やまい》への恐怖心に支えられた。

はて、安政の日本にコレラ菌を蔓延させたのは、本当は誰か。外国人説はデマではあるまい。安政5年5月、上海経由で長崎に入港したアメリカの軍艦が持ち込んだとの説が有力だ。当時、コレラは中国を席巻していた。

　中国の流行り病は海を渡り、本邦に伝来するものだ。江戸時代以前からの常識だったようである。「七草囃子」という、七草粥に因むわらべうたがある。歌詞は地域で違う。とはいえ、「七草なずな、唐土《とうど》の鳥が、日本の土地に、渡らん晩に」とか「七草叩け、唐土の鳥の、渡らぬ先に」とか、大陸から渡り鳥の来る前に、七草粥を摂っておこうという意味合いでは、共通する。

　七草を早く摘まないと渡り鳥についばまれてしまうよ。そうとも取れる。が、本筋は、病魔退散のまじないだ。七草粥を正月7日に食べる。7の二乗の49をイメージさせる。だから厄除けになる。唐や天竺の古代の宇宙観を象徴するのは、七曜と九曜と二十八宿と五星だろう。星や星座をそのように分類する。7と9と28と5を足すと49。7日の七草粥で49と一体となると、天の加護を得、唐土の悪疫に負けない。極東の島国のひとつの古風な信仰です。

　もちろん、年の初めの七草粥は、本来、旧暦での習慣だ。新暦の季節感と食い違う。旧正月は春の初めだ。春節だ。暖かくなる兆しが出てくる。大風や大雨やドカ雪もある。そして新しい病気も。病原体が始動する季節なのだ。

実は、日本の七草粥の起源は古代中国にある。魏晋《ぎしん》南北朝時代の6世紀に、荊楚《けいそ》地方の民俗を記録した『荊楚歳時記』は、春節の7日には七菜を集めて吸い物を作ると述べる。無病息災の祈願だろう。また、その日の晩には鬼鳥が家を襲うとも記す。姑獲鳥《うぶめどり》とも呼ばれる。悪疫や災厄を象徴する物怪《もののけ》だろう。七菜の吸い物が七草粥に。鬼鳥が唐土の鳥に。春の流行り病を恐れる中国の古俗が、中国からの伝染病を恐れる日本の習慣に化けたのだろう。

荊楚地方とは現在の湖北省のこと。『荊楚歳時記』の著者は特に荊州の町を愛した。荊州は今日の武漢のそばである。ちなみに、2020（令和2）年の旧正月の7日は1月31日だった。

人間の魂の試される時は案外と多い。個々の人生のみならず、国家的、社会的、世界的に試されもする。日本なら近くは2011（平成23）年がそうだったろう。そして今年も。何しろ大江健三郎の『万延元年のフットボール』ならぬ「〃蔓延元年〃のオリンピック」なのです。（2020/02/27）

鼻紙と専制国家

紙で鼻をかみ、紙に痰を吐き、丸めて捨てる。伊達政宗の使者としてスペイン国王やローマ教皇に謁見した支倉常長が、日本から持参した鼻紙をそう使って見せたら、西洋人が目を丸くしたという。

当時の欧州では紙は貴重品。鼻紙の代わりにしていたのはハンカチである。鼻水も痰も汗も、みなハンカチへ。汚し抜く。しかも水が惜しかったのか、洗わずに何日も使うのが当たり前。不衛生だ。だが、紙を贅沢に使う習慣がない。日本で言えば明治期まで、西洋では紙より布の時代が続いた。

するとティッシュペーパーはいつ登場したのか。案外と新しい。第一次世界大戦のときである。主に欧州の戦場で約1000万人が戦死し、2000万人以上が負傷。野戦病院は血と膿に満ちる。脱脂綿が足りない。原材料は綿花の種子。供給に限度がある。そこで日本の鼻紙のようなものを、もっと薄く柔らかく安価に作るべくアメリカで考案されたのがティッシュペーパーだ。脱脂綿の代用品の軍需物資だった。しかし、戦争が終わると需要は激減。民需に転換をはかり、成功した。

成功の要因は幾つかあった。その最大のものは疫病ではないか。大戦末期、スペイン風邪という名の新型インフルエンザが広まった。中国で発生したウイルスがアメリカ本土の兵営で流行し、米陸軍が欧州の戦線に持ち込んだとも言われる。ドイツ軍の西部戦線での最後の大攻勢が息切れしたのも、将兵多数がスペイン風邪に倒れたせいだろう。大流行して半年から1年のあいだの死者は、5000万人とも1億人とも言う。第一次世界大戦の戦死者よりもずっと多い。大戦争のせいで、兵員と軍需物資が世界規模で激しく移動した。一種のグローバリズムである。ウイルスの増殖に歯止めが掛からなくなった。とにかく咳を布で抑えても不衛生。使い捨ての紙にするのが一番。疫病が文化や習慣を変えていく。

そもそも欧州は、14世紀から17世紀まで、ペストに苦しめられた長い歴史を持つ。1347年に地中海沿いで始まり、数年間で全欧州の人口の3分の1を屠ったとされる最初の大流行をもたらしたペスト菌は中国原産。そんな説が有力だ。マルコ・ポーロが元の時代に行き来した陸のシルクロードや、明の時代の鄭和の大航海によって開かれた海のシルクロードが、繰り返しの流行に貢献していたのだろう。

フランスの歴史家、ピエール・ショーニューは、幾世紀にもわたるペスト禍が欧州の近代文明の礎を築いたと主張した。たとえば、欧州の市民文化が性的放埒に厳しくなっていったのは、疫病を恐怖し濃厚接触を避けようとする衛生観念から来ているという。それから、小領主や村の勝手に任せるのをよしとせず、領邦国家を経て絶対王政の巨大官僚国家に行き着く歴史も、疫病との戦いを抜きには語れないという。強権的な国境管理や国内封鎖ができないと絶滅しかねない。そうして生まれた近代専制国家のモデルが、ロシア帝国、ソヴィエト連邦、中華人民共和国に転写され、今に至るのだろう。

鼻紙で昔から各人勝手に穢《けが》れを払ってきた島国と、封鎖や焼き討ちさえ想定内にしてきた大陸型専制国家の違いが、この時代に、どう吉と出、凶と出るのか。息の詰まる思いです。（2020/03/12）

皆人の心の限りつくしても頼み少なや布切れ二枚

指揮者の尾高忠明さんに、よいお話をうかがった。オーケストラは、たとえ1世紀2世紀経って、看板が掛け替えられても、設立時の記憶を引き摺るという。楽団を作ったのは、放送局か、自治体か、市民のクラブか。それが気質となって生き続けるのだという。

どんな組織にも当てはまる話ではないか。たとえば保健所。全国に整備されたのは昭和10年代と言ってよい。当時は厚生省衛生局の管轄だった。厚生省が出来たのは昭和13（1938）年。日中戦争の2年め。実は厚生省設立を言い出したのは陸軍である。何しろ総力戦時代。兵力や労働力を確保するのに、病人が多くては困る。国民の健康状況の監察が必要だ。保健所と厚生省（現厚労省の一部）の起源は、宮澤賢治の「雨ニモマケズ」の「東ニ病気ノコドモアレバ行ッテ看病シテヤリ」というような万民救済の大慈悲心とは無縁である。動員できる国民の数にしか興味はなかった。国家の正体は冷酷だ。

しかし、正体剝き出しの国家は信任されない。建前は温かく！　明治国家はその建前を「一君万民」で表した。天皇は万民を思って歌を詠む。安上がりだ。それで足りぬと、気持ちをかたちにする。最低限の現物を与える。日露戦争のときは恩賜の義足が配られた。国家は傷痍軍人のその後を厚く保障するのが本当だ。が、無い袖は振れない。そこで、皇室から義肢装具をプレゼント。日本に生まれて良かった、あとは自助で第二の人生を頑張ります。感激した傷痍軍人がそう誓う筋書きだ。

日清戦争では、恩賜の煙草が前線の兵士に贈られた。その時代の軍歌『雪の進軍』は「儘《まま》よ大胆一服やれば、頼み少なや煙草が二本」と歌う。軍歌マニアの官僚が首相に進言し「マスクが二枚」になったのかと、私は妄想する。とにかく、持たざる明治国家は気前よく振る舞えないので、天皇で箔を付けた品で安く誤魔化す習慣を持った。「アベノマスク」もその変種かと思う。

要するに、持たざる国の政治は気持ちの政治である。強制して服従させようと力ずくが過ぎれば、後の面倒も厚くみないと、反乱を招く。あくまで御恩と奉公だ。国家が思ってくれているから、国民も自発的に努めよう。そんな方向に誘導して急場をやり過ごす。

戦後日本はこのかたちを明治国家よりも強化したとも言える。何しろ自由民主主義。

明治国家が、建前はコワモテの天皇絶対だけれど、本音は御恩奉公で柔らかめに誤魔化したかったとすると、戦後国家は、本音を変えずに、建前からも強制や服従の色を抜いた。なるべく自主独立、自己責任で行け。本音と建前がほぼ一体になった。

ところが戦後75年、新型ウイルスという第二の黒船が、御恩と奉公の国をご破算にしつつある。権力が休業や自宅への逼塞を要請しても、御恩が「アベノマスク」とかでは、長期戦は無理だ。多くの国民は補給なき最前線の兵士と化す。非常時に誰が何を明確に強制でき、あとにどこまで責任を持つか。国民の過半が納得できる明確な法、ないし超法規的決断がなくては済むまい。

えっ、最後は神風が吹く？　いやいや、やれることは限界まで早くやらねば。黒船に処した幕末の孝明天皇も歌っておられますよ。「皆人《みなひと》の心の限りつくしてし　後にぞ頼め伊勢の神風」（2020/05/07）

コロナ禍は人間不要の鬨《とき》の声

テレビ番組の収録に行った。高画質放送向けの特殊な番組なので、家からの遠隔出演では済まない。しかし、時期が時期。放送局は外部の人間の出入りに厳しい。都心の貸会議室での撮影と相成った。

行くとディレクターひとりだけが居る。既に準備万端。カメラもライトもセット済み。スタッフは「三つの密」を警戒し、別室に待機させられているのか。そうではないという。全機材をひとりで運び、並べたという。

「すると会社のワゴン車で？」「いえ、タクシーで」。なるほど、それで運びきれない量ではない。世は進歩し、機材はどれも軽量かつ高性能である。

撮影が始まると、私の眼鏡の反射がきつく、時おり光ってしまう。許容範囲かどうか。ディレクターは、在宅勤務中のプロデューサーに携帯電話で画面を転送し、判断を仰ぐ。OKとすぐ結論が出、収録は終わった。

ちょっとびっくりした。ディレクター、撮影の人、録音の人、照明の人、機材運搬車。

そのくらいは要ると思っていたが、ひとりでも出来るのか。しかも、繰り返せば、高画質放送の番組なので、相応のカメラが不可欠だったが、そうでなければ遠隔出演でよかった。スタジオも交通手段も不要だった。

「アフター・コロナ」の世界を実感したつもりになった。それは「三つの不要」に特徴づけられるだろう。第一に人が要らない。技術革新で、仕事によっては従来の7割も8割も減らせる。第二に場所が要らない。役所や会社で一堂に会して働くのは、そうしなければ連携が難しく、効率が上がらぬとされてきたからで、事情が変われば、場所代を節約するのが資本主義だ。第三に移動が要らない。リニア新幹線的な大量高速移動の発想は時代遅れになる。最新鋭のつもりで作っても、戦艦大和のように、完成した途端に航空優位の時代となり無用の長物扱いされるということはある。農業や手工業や小商店の時代には職住は一致していたが、そこに戻ってゆくのだろう。

もちろん「三つの不要」は、疫病禍という非常時への緊急対応の中で顕在化した。が、無理やりに、ではない。条件は整っていた。既にそうできて当たり前だった。疫病禍はきっかけに過ぎない。一度みなが気づいてしまえば、非常時が去っても、元には戻れまい。

するとこの先どうなるか。まず大都市が要らなくなる。大都市は人と場所と移動手段を濃密に集積させるべく発達した。「三つの不要」が当たり前になれば大都市も戦艦大和同様だ。そして、人が要らなくなるから、大失業時代が来る。国家や企業はオフィスも人件費も減らし、浮いたお金を人工知能とロボットにますます回す。高度な判断は人工知能が、単純労働はロボットが担う。医療や介護もそうなるだろう。

かくてエリートも普通人も幅広く仕事をなくす。ベーシック・インカムという名の最低生活保障金でも貰い、倹しく生きるのか。今、政府は「特別定額給付金」と称する、ひとり当たり10万円の現金を、疫病禍で仕事が減少した事態への対応策として配っている。これが、非常時でなくとも仕事のない近未来に国民を食わせる仕掛けの原型になる気がする。私達は今、楽しくない未来での生き方のレッスンを受けているのか。杞憂であることを祈ります。（2020/06/25）

割に合わないことをやれ

無観客試合のプロ野球を観ていると妙に懐かしい。私は小学1年生の頃、1970（昭和45）年から、近鉄バファローズのファンになった。お荷物球団と呼ばれていることに、何か感ずるものがあった。戦争映画を観れば敗者のドイツ軍や日本軍を応援していたので、プロ野球だと近鉄がよかったのかもしれない。親にせがんで、球場にも通うようになった。

私は東京在住。近鉄はパ・リーグの在阪球団。当時のパ・リーグで在京なのは、南千住の東京スタジアムが本拠のロッテと、後楽園球場が本拠の東映。でも、南千住の球場は一、二度行ったら無くなり、私は主に後楽園での対東映戦に出かけた。東映は日拓、日本ハムと変わる。その後、ロッテが川崎を本拠にしたので、そちらにも行った。

高度成長期の話である。スタンドは熱気に包まれていたか。いや、巨人戦ではないのだ。記憶にある試合の多くはほとんど無観客的だった。公称何千人、実際には千何百人居るかどうか。「三密」のかけらもない閑散さの中、当時の近鉄の名選手たち、土井正博や永淵洋三の打撃、鈴木啓示《けいし》や佐々木宏一郎の投球、安井智規《としのり》の守備を堪能する。それが私のプロ野球事始めだった。

話は飛ぶ。それから何年かして1970年代のうちに、私はクラシック音楽ファンになり、演奏会に通った。モーツァルトやベートーヴェンでなく、現代の作曲家の新作が目当てでだ。クラシックでも特に聴く人が少ない。その頃の記憶はパ・リーグの試合とダブる。冬だと、別々の席にコートを置き、鞄を置き、プログラム冊子を置き、自分が座って、何席も独占しても問題ない。傍に誰もいないのだ。ステージの100人近くの交響楽団に対し、2000人の客席に何十人ということも本当にあった。

野球もコンサートもそれでなぜ成り立っていたのか。パ・リーグなら、近鉄の佐伯勇、東映の大川博、東京スタジアムを建てた永田雅一《まさいち》ら、ワンマンなオーナーたちが、男のロマンで痩せ我慢していたからだろう。クラシック音楽も同じだ。人気で測れぬ芸術の価値こそ大事と、三井不動産の江戸英雄や西武百貨店の堤清二やサントリーの佐治敬三のような企業家が信じ、国家公共の芸術振興策にも同様の思想が生きていた。そうした思いが経済合理性を退け、採算の取れぬお荷物を、一種の喜捨の精神によって守っていた。

だが、平成の約30年間で世の中はずいぶん変わった。割に合わないものをどれだけ養えるか。そんな痩せ我慢の美徳は吹っ飛んだ。表向き、多様性は尊重されるが、儲からぬものは多様性のうちに入れてもらえなくなった。透明性と公益性の名のもとに、オーナーの好き勝手が良くも悪くも通らぬ仕組みにもなった。お荷物は捨てられるべし。そこに疫病が追い打ちをかける。客の有無にかかわらず演奏行為そのものが既に「三密」である交響楽団は特に危機的。何ヲッー、殺されてたまるか、千万発射つとも死せじ。割に合わぬものあってこその多様性なるぞ。でも先立つものが！　一億円、十億円あれば死なじ。同情せずとも金よこせ。お荷物あっての豊かな社会なのです！

平成に近鉄球団を失い、令和にクラシック音楽も失いそうで周章狼狽するひとりの痴れ者の、磯部浅一＆安達祐実風な断末魔的恨み節でございました。(2020/07/09)

学童集団疎開は観光事業支援国策だった？

「Go To トラベル」。危殆に瀕した観光業を国が支援する。どうも昔にもあったような。

話は第一次世界大戦後のグローバリズム時代に遡る。観光業を日本の柱にしようとする動きが官民両方で始まった。何しろフジヤマにゲイシャにサクラ。外国人の異国趣味を掻き立ててやまない。インバウンドに期待するのは当たり前。昭和6（1931）年には国立公園法が制定され、富士箱根、日本アルプス、瀬戸内海などが、次々と国立公園に指定される。今日の感覚で言うと世界遺産登録のようなものだろう。「Go To 国立公園」である。

けれど、国立公園の指定ラッシュは昭和11（1936）年で止まる。翌年に日中戦争が始まり、泥沼化したからだ。インバウンド需要を大喚起するはずの昭和15（1940）年の東京オリンピックも消えた。

しかし捨てる神あれば拾う神あり。軍需景気が観光業に福音を齎《もたら》す。社長さんがお得意さんを招いて温泉でどんちゃん騒ぎ。「Go To 温泉」だ。鉄道省の「神まらで」キャンペーンも必勝祈願で盛り上がる。伊勢も京都も参拝客で一杯に。「Go To 神社」だ。

ところが、アメリカとの戦争が始まると、不要不急の旅行は次第に許されなくなる。旅費があるなら、そのぶん戦時国債を買え。贅沢は敵だ！ 昭和19（1944）年4月には片道100キロ以上の鉄道切符の購入に警察の許可が必要となる。事実上の旅行禁止、移動制限だ。

といっても、三好十郎の戯曲『夢たち』に活写されているように、東京の宿は出張やら入試やらの上京者でけっこう混んでおり、藤原審爾の小説『秋津温泉』で描かれているように、地方の温泉宿に病気で兵役を免れている青年が長逗留なんてこともあった。でもその程度では焼け石に水。全国の旅館業が危殆に瀕した昭和19年6月、東條内閣は、東京、大阪、名古屋等、全国13都市の約40万人の学童を集団疎開させることにした。「Go To カントリー」だ。一方で「移動するな」と言い、一方で「移動しろ」という。疎開先としてかなり優先的に選ばれたのは全国の温泉地。そこに非温泉地の旅館やお寺が加わった。たとえば箱根だと昭和19年8月から約7000人の学童が温泉旅館に泊まるようになった。

もちろん学童疎開は、空襲時に足手まといになり、さらに都市部の食糧事情では面倒の見切れない子供を、一人でも多く鄙《ひな》に遠ざけたいがゆえの政策だった。が、観光地救済という面もやはりあったろう。学童集団疎開に投じられた予算は、一説では一人当たり約600円とも言われ、40万人分を今日の貨幣価値に合わせるべく仮に4000倍してみれば、およそ1兆円。「Go To トラベル」の予算規模と良い勝負だ。

とはいえ、それで旅館や宿坊が儲かったわけでもあるまい。もともと最低宿泊費で請け負っている。初めは厚遇された子供たちも、疎開の長期化に従い、ぞんざいに扱われざるを得ない。ついには自力で木の芽やキノコを取るようになる。まるで前線の兵士だ。都会の子供も地方の観光業者も共存共栄で食っていける理想を夢見た「Go To カントリー」は、結局、少国民世代の艱難辛苦の物語として歴史に刻まれた。

戦後75年経とうが、切羽詰まったときにお上の考えることなんて、いつも似たようなものではありますまいか。(2020/09/03)

「初め半年や一年の間は……」と山本五十六は言ったけれど

「一年二年はまだ小手調べ　勝って勝ち抜く三年目」。野村俊夫作詞、古関裕而作曲の『かちどき音頭』だ。太平洋戦争が始まって丸2年過ぎた頃の歌である。

本当に「まだ小手調べ」と余裕をかましていられる状況なら、こんな歌を作らない。戦争が想定したよりも長い。『かちどき音頭』の歌詞は「止《とど》め刺すまで増産だ」で一区切りとなる。軍需生産が追い付かない状況への焦りの歌なのだ。資源も労働力も足りない。

近代日本は第一等の文明国として振る舞うにはいつも国力が足りなかった。戦争でも仮想敵国が米英にソ連だったから、長引いたら地力の差で負けるに決まっている。軍備のクオリティを高くして短期でケリをつけるほかない。帝国陸海軍の思想の基調であった。

陸軍なら常に電撃的な包囲殲滅戦を目指す。相手より兵数で劣勢でも、猛訓練で精兵を養い、彼らを勇猛果敢に敵の側面に回り込ませ、思わぬ方向から敵を包み込むようにして突撃させれば、必ず勝てる。そう考えた。

海軍なら大艦巨砲主義である。相手より隻数で劣勢でも、射程距離で敵を上回る主砲を持ち、猛訓練で命中率も高くすれば、敵弾の届く前に敵戦艦の何隻かを屠れ、勝利可能と考えた。戦艦大和と武蔵はその思想から生まれた。

海軍では航空奇襲主義も幅を利かせた。飛行機の生産競争で長期戦をやったら負けるが、たとえ少ない航空機でも高性能の機種に練度の高い操縦士を組み合わせ、緒戦でいきなり大胆な奇襲ができれば、勝機はあると考えた。真珠湾奇襲はその思想から生まれた。

確かに当初はアイデア通りに事が運んだ。真珠湾攻撃も東南アジアの攻略も電撃的だった。が、それは戦争の早期終結につながらなかった。精兵の補充は容易ではない。兵器の開発や増産も間に合わない。破綻してゆく。

国力に乏しい日本が数を絞りながら勝とうとするがゆえにしばしば陥ってきた歴史の悲劇である。短期では勇ましいが長期化すると弱い。疫病禍も2年目。どうも被るところがある。

自民党政府は高度成長の中、医師数増加政策を推進し、田中角栄首相は「一県一医大構想」をぶち上げた。が、石油ショック後、医療費を抑え、医師数も減らすのが新たな国策になっていった。スリムにせねばこの国は生き残れない。土光敏夫を座長とし、旧陸軍の瀬島龍三も加わった第二次臨時行政調査会が医師減らしを提言し、中曽根康弘内閣が実行に移した。医師を減らす分、個々を精兵化し、医療設備や薬品の質を高めれば大丈夫という理屈である。国際的に見ても医師の数が少ない国になり、さらに病床や看護師の数も抑制的にしていたら、疫病禍が来た。何とか1年はもった。精兵主義が短期ではきちんと機能し、旧陸軍の包囲殲滅戦を連想させもする〝日本独自のクラスター対策〟も功を奏したのだろう。

が、敵ウイルスは変異型も加わって増える一方。日本の不得意な長期持久戦のモードに入りそうだ。医師や看護師はパイロットと同じで短期では増やせない。山本五十六が近衛文麿に対米戦争の見込みを訊ねられたときの台詞が思い出される。「初め半年や一年の間は随分暴れてご覧に入れる。然しながら、二年三年となれば全く確信は持てぬ」。諸兄諸姉の武運長久を祈ります。(2021/01/21)

ワクチン恐怖症の戦後日本的起源

ワクチン禍。世界最悪級のそれは１９４８（昭和23）年の日本で起きた。京都ジフテリア禍事件である。乳幼児を中心に68人が死亡。同様の事件は直後に島根でも発生し、両方合わすと死者84人！

ジフテリアが重症化するのは主に子供だが、大人も罹る。発熱し、喉に嚢腫《のうしゅ》ができ、ひどく咳き込む。敗戦前後、衛生環境の悪化した日本では種々の伝染病が猖獗をきわめたが、ジフテリアも例外でなく、敗戦の年には8万人以上の患者が出、約８０００人が亡くなった。

この病気がアメリカ占領軍にも蔓延した。夜の街での濃厚接触のせいか。放置すれば占領軍の戦力ダウンだ。マッカーサー率いる占領軍総司令部は、日本政府に国民へのジフテリアの予防接種を46（昭和21）年夏までに行うように指令した。だがそのとき発疹チブスの大流行が始まった。敗戦日本の限られたワクチン製造能力はそちらにまず振り向けられ、チブスを抑えてジフテリア対策に戻ったときには、もう48年。ジフテリアの流行も収まりつつあった。今更ワクチンなんて！　が、占領軍指令は生きている。米兵の健康を守るため、ジフテリアの最大の感染源と思われる日本の子供のすべてにワクチンを早急に接種しよう。48年6月にジフテリアを重視した予防接種法が制定され、ジフテリア・ワクチンの緊急大増産が始まった。接種義務を子供に果たさせない保護者には重い罰金が科されもした。

そこで悲劇は起きた。ワクチン製造については新興の大阪日赤医薬学研究所が、一部ワクチンの無毒化に失敗した。同研究所は旧陸軍の傾いた兵舎を使い、獣医ひとりと素人の助手ふたりで製造に当たっていたという。しかも政府の検査官も出鱈目だった。有毒と気づかず、厚生省検定合格証紙を貼って出荷してしまった。京都では11月の4日と5日に接種された1万5000人のうち、約800人に強い副作用が現れ、300人以上が重症化した。

阿鼻叫喚の病院を視察した社会党の山崎道子代議士は衆議院で報告した。「ベッドに横たわっておりますす幼児を見舞いますと注射部位は腐り落ちて、こぶし大の穴があき、中には骨が見えているほどひどい者もあります」。子を亡くした母親は泣き叫ぶ。「3千円の罰金を恐れて、金がないばかりに注射をし、お前をこんな姿にした母ちゃんを堪忍しておくれ」。山崎代議士の決め台詞はこうだ。「可憐なる乳幼児が、モルモットのかわりにジフテリアの猛毒によって殺されたのでありまして、帝銀事件以上の惨事と申さねばならない」。議場に拍手が起こった。

ときの吉田茂内閣は、政府の検査の不備を決して認めず、占領軍との絡みも隠し、全責任を製造業者に帰して、遺族には安めの見舞金を渡し、幕引きをはかった。だが、それで終わったのか。新しいワクチンと聞くと医事行政の腰が極めて重くなるのも、国民がモルモットという言葉をついつい思い出すのも、73年前の禍《わざわい》が戦後日本の奥の傷として疼き続けているからではなかろうか。世界唯一の被爆国として放射能に敏感なのとどこかパラレルでもある。どちらにも米国が覆い被さってもいる。そういえば、新型コロナ・ワクチンを我が国に供給してくれるファイザーもモデルナも米国の会社。大したトモダチを持ったものです。（2021/02/18）

オリンピックとコロネット

暗合。暗号ではない。偶然の一致を意味する言葉だ。2021(令和3)年の日本と1945(昭和20)年の最終段階を迎えた大日本帝国とには、何やら暗合するところがある。

太平洋戦争末期、アメリカを中心とする連合国は日本本土進攻を計画した。日本は、本土決戦で戦局の劣勢を挽回し、講和条件を有利にできると、本気で信じているらしい。サイパン島や硫黄島や沖縄を失うくらいでは、無条件降伏する気にならぬようだ。本土空襲を幾ら続けてみても、埒《らち》があきそうにない。本土での地上戦をやらざるを得まい。

アメリカは作戦を2段階で考えた。最初は南九州である。45年秋、日南海岸や串木野の照島海岸などから総計30~40万の地上軍を上陸させる。宮崎の都農《つの》と鹿児島の川内《せんだい》を結ぶラインの南側を占領し、特攻機の飛行場をB29の大基地に変えて、そこから日本全土への空襲を激烈化させる。

それでもだめなら、次はどうしても首都攻略である。46(昭和21)年春、九十九里浜と湘南海岸に、南九州を凌ぐ規模の地上軍を上陸させて、東京を陥落させねばなるまい。しかも、この二つの作戦にはとんでもないプラス・アルファも付随していた。ジクロロフェノキシ酢酸等の農薬をいわゆる枯葉剤として大量散布し、日本農業を壊滅させる。第一次世界大戦の西部戦線さながらに日本軍陣地を毒ガス攻撃する。細菌兵器をばらまいて日本中に疫病を蔓延させ、抗戦能力を徹底的に殺ぎ落とす。神風特攻までしてくる黄色人種をもはや文明人とは見なせないという思い切りがなければ、本気で立案できない戦術ばかりとも言える。

いずれにせよ、それらはもはや歴史の遠い幻として、彼方に追っ払っておきたいところだが、実はこの頃毎日、とても近しく思い出してしまう。コードネームのせいである。

軍事作戦にはコードネームが付く。一種の暗号だ。はて、南九州攻略のプロジェクトの名は？　オリンピック作戦である。暗号名にいちいち特段の理由は無いものだろうが、やはり大戦争にケリをつけるための大勝負との含みはあるのかもしれない。金メダルの懸かる天王山というわけだ。

が、違った説明もある。オリンピックの元々は、ギリシアの最高神ゼウスの神域・オリンピアで行われた競技会である。日本神話では、宮崎県こと日向の国は天孫降臨の地だ。のちの神武天皇が元祖皇軍と言える軍勢を率いて大和への東征に出発したのは宮崎の海岸。そこに連合軍が殺到し、陸上競技ならぬ地上戦の熱闘の末に、皇国日本の根源的な神域を占領する。だからオリンピック作戦。真偽のほどは知らないが、恐ろしく黒いユーモアを感じる。

では、次段階の東京攻略作戦のコードネームは？　コロネットである。ラテン語のコロナ（王冠）に由来する。英語ではクラウンになり、その小さなものがコロネットだ。九十九里浜と湘南から東京を迂回して進撃し、千葉県と埼玉県と神奈川県に戦線をつないで首都包囲の円環を狭める作戦の手順が、頭にトゲトゲの付いた冠を被せて締め付けてゆくようだから、そんな作戦名になったのかもしれない。

ともかく日本滅亡大作戦のコードネームは、片やズバリ、オリンピックで、片やほぼコロナだった。この暗合に暗号が潜むと思うと陰謀論だ。それはない。とすれば呪いだろうか。マンハッタンというコードネームの原爆開発計画が先に成就したせいで、幻と消えたはずのコンビが、想像を絶するかたちで生き返り、本土決戦の亡霊を蘇らせるとは！　降伏か、それとも徹底抗戦か。どんなゾンビ映画も驚く悪夢の展開に、神々もさぞお唸りのことでしょう。（2021/05/27）

マラリア・コレラ・マッカーサー

マッカーサーと言えば吐き気だろう。彼は人生のかなりの時間をこの症状に悩まされたらしい。特に無理をすると覿面《てきめん》だ。発熱し吐きたくなる。恐らくマラリアのせいだ。

米西戦争の結果、アメリカがスペインからフィリピンを頂戴したのは１８９８年。その５年後、陸軍士官学校を出たてのダグラス・マッカーサー少尉は比島勤務を命ぜられた。レイテ島で基地建設に従事し、ジャングルで反米ゲリラと戦い、蚊にたくさん刺され、マラリアを発症した。高熱と吐き気でよろよろしっぱなし。マニラで療養しても治らず、中尉昇進後、米本土に戻された。その後も回復は不十分。起きられない日もある。でも上層部は彼を閑職に回せない。中尉は、アーサー・マッカーサー・ジュニア陸軍少将の三男なのだ。少将は在フィリピン米軍司令官を務めたのち、日露戦争の日本側観戦武官として旅順要塞攻略戦等を見物し、そのまま日本に居た。では息子を父親の副官に任じてみようか。日露戦争の終わった翌月の１９０５年10月、マッカーサー中尉は横浜に到着した。占領軍総司令官として厚木飛行場に降り立つ40年前である。そして、彼の日本人観を後々まで決定づける出来事にも遭遇した。

日露戦争後の日本では、幕末以来猖獗を極めて来たコレラがまたも流行した。大陸帰りの軍隊が菌を持ち込んだのだろう。流行病は派手な〝人流〟とともに来る。兵士にも死者が相次ぐ。病気に人一倍関心の深くなっているマッカーサー中尉は日本陸軍の将軍に対策を訊ねる。返事はこうだ。

「流行している部隊の全員に予防薬を4時間おきに服用させます」。マッカーサーは大笑した。4時間おきでは寝てもいられない！　ましてや医学的に確証されたコレラの予防薬なんて聞いたことがない！　おまじないみたいなものだろう。「米陸軍には、そんな合理性を欠いた命令に従う兵士はいません。薬はすぐ捨てられるでしょう」。マッカーサーが言い放つと将軍はむきになった。「薬箱に次のように書き添えるだけで日本では万事うまく行く。この薬は陛下からの下されものゆえ、4時間おきにありがたく飲むようにと」

将軍の台詞の通りだった。薬は命令通りに服用され、コレラの軍内での流行も収まった。偽薬効果か。恩賜の妙薬のせいで兵士に緊張感や衛生観念が高まったか。それともただの偶然か。とにかく将軍は勝ち誇り、マッカーサーは衝撃を受け、こう肝に銘じたようである。日本人は西洋近代化されているようにも見えるが、それは上っ面だけのことだ。この国には個人主義も自由主義も、合理的判断を優先させる気風も、まだまだ存在しない。理不尽な命令にも、親の言いつけなら守らねばならぬとおっかなびっくりしている、子供のような国民だ。お上に逆らえない。一皮むけば実は不満たらたらなのに。それを良いことに、非科学的で前近代的な指導者たちが、何でも安上がりにその場しのぎで済まそうとし、それで結果オーライとなれば、照れるどころか、かえって偉ぶる。まことに性質《たち》が悪い。西洋と肩を並べたつもりのアジア人の正体見たり！

マッカーサーが、占領軍総司令官として天皇の利用価値を高く見積もったのも、戦後6年のアメリカ上院の公聴会で日本人の精神年齢をまだ12歳の子供と決めつけたのも、明治の日本での「お上からの曖昧な言い付け効果」を目の当たりにしていたからに違いあるまい。マラリアの熱にうかされた米軍青年将校が、疫病に見舞われる極東の島国で観た悪い夢なのかもしれない。が、最近、マッカーサーの気持ちが妙に響く。今でも日本人は12歳なのでしょうか。（2021/06/03）

我が国の政治はなぜかくも幼稚になったか

ヒトラーは本当に独裁者だったか。彼はレーニンやスターリンと違った。革命で旧体制をチャラにし、行政組織をゼロから都合よく拵《こしら》えたのではなかった。ナチ党は、ワイマール共和国の民主主義的な選挙で勝利し、政権を得た。だからナチ政権には旧来の行政機構も洩れなく付いてきた。ナチ党なんて長続きすまいと高を括る国家官僚がごまんと居た。スターリンなら片っ端から粛清して総取り換えするところだが、ナチはそれほど人材に恵まれていない。

ヒトラーはうまい手を考えた。商工政策でも農業問題でも、政府機構とダブる担当部局をナチ党内に作る。そしてナチの理想はこうだと素人考えを大言壮語させ、粗忽でもそれらしい政策を党組織で実行してしまう。一種の二重行政である。混乱と不効率の極みだ。でも止められない。ナチは政権党だ。しかも野蛮で怖い。官僚も忖度をはじめ、おとなしくなる。行きあたりばったりの増改築を乱暴にやり続ける家とでも思えばよい。家の中では増改築を仕切るナチスが旧来の官僚組織を圧してゆくが、全体としては不効率なことが嵩む一方なので、いずれは肝腎の家が潰れてしまう。ヒトラーの権力はわずか12年で終わった。

現今の日本政治は、このナチの物語に少し被る気がする。戦後保守党の歴代総理を思い出してみよう。吉田茂は外務省、岸信介は商工省、池田勇人は大蔵省、佐藤栄作は鉄道省、中曽根康弘は内務省。官僚出身者が並ぶ。昭和の自民党は、良く言えば官僚と仲良くやってその能力を最大限使いこなせる政党であり、悪く言えば官僚に操縦される政党であった。対して平成の自民党は同じ党でも中身が違った。何事も官僚を頼みとした親に反抗する子の世代に主役が交代した。橋本龍太郎や小泉純一郎が、行政の主導権を官僚から議会政治家に取り戻そうと改革を仕掛けた。その肝腎要は、旧総理府を増改築して内閣府なるオバケめいた組織を育て、旧来の省庁の上に乗っけたことだろう。

内閣府を棲家とするのは特命担当大臣だ。その使命は、担当を既成官庁の職掌と被らせ、タテ割り行政をぶっ壊し、官邸主導の実を上げること。小泉内閣の竹中平蔵経済財政政策担当大臣なら財務省の縄張りを大いに荒らした。

官僚制は放置すれば硬直化の一途を辿る。タテ割り打破は原則正しい。が、特命担当大臣は担当分野の専門的官僚を大勢抱えているわけではない。仕事のダブるライバルの既成官庁より良くも悪くも発想が素人じみる。でも、その背後には官邸の威光がある。既成官庁は結局萎縮し、やる気が無くなり、専門知識の蓄積を能動的に展開しようとしなくなる運命だ。素人が最後に勝つ。結果、政治の不効率化のみならず政策の非常識化さえ進行するだろう。

疫病禍はそんなリスクを見事に顕在化させた。新型コロナウイルス感染症対策担当大臣やワクチン接種推進担当大臣はよく働いているのだろうが、そもそも厚生労働省や地方自治体等と何重にも職域が被る。政治の不効率化、政策決定過程の不明確化、責任の所在の曖昧化に拍車をかけている面があろう。更に、官邸や内閣府は権能の不明確な専門家会議で専門知識の欠如を補おうとするので、誰が何を決めているか、ますます分からない！　通勤電車を減らせば通勤者も減るはずという不合理な政策が罷り通りもした。

政治を、ナチが野蛮にしたなら、平成の改革は幼稚にしたのではないか。ならば令和の改革をなし、責任の所在が明確で、合理的な決定を導ける、明快な政治機構を実現しようではありませんか。いい加減、大人になろうよ！（2021/06/10）

２０２１年ワクチンの旅

「明日、機械の体を手に入れる。俺、最強」。新型コロナウイルスワクチンの二度目の接種を控えて喜ぶ、どこかの誰かのネットへの書き込みだ。

はて、機械の体とは？　『銀河鉄道９９９《スリーナイン》』に由来するのではないか。１９７７（昭和52）年から『週刊少年キング』に連載された松本零士のＳＦ漫画。テレビアニメにもなった。舞台は遠い未来。主人公の貧しい少年、星野鉄郎は、謎の美女、メーテルの導きに従って、宮澤賢治からイメージを借りた銀河鉄道に乗り、機械の体を無償でくれるという、宇宙の彼方の終着駅を目指す。年上の女性に教えられ養われながら、男子は旅で成長してゆく。母と姉と恋人を兼ねるようなメーテルが、ドイツ・ロマン派風の永遠なるものへの憧憬を喚起してやまない。作品の魅力の中核だ。

それはともかく、この漫画の世界観が今とても沁みる。『銀河鉄道９９９』では、未来の地球は恐るべき階級社会だ。人間は生身を機械に取り換えれば、老いや病と無縁になれる。ところが機械の体は高価だ。メンテナンスも大変。貧者はいつまでも生身のまま。居住エリアも機械人間と別々にされる。いわゆるゲーテッドコミュニティが実現している。ゲートの外に暮らす生身の人間には、生存権すら保障されない。星野鉄郎少年の母は、機械人間に遊びで殺される。メーテルは言う。「機械の体の人はふつうの体の人間を夜外で見かけたら撃ってもいいことになってるんだから」

20世紀末から先進資本主義諸国は成長の限界に突き当たり、それなりに豊かで分厚い中産階級を保てなくなってきた。中間層が痩せれば、貧富の差は拡大する。貧民が増えれば、一般に治安は悪化するだろうし、国民一律の福祉や行政サービスも保てなくなってくる。要するに階級社会に退行してゆきかねなくなる。許可証や身分証が無いと入れぬ領域も増えていきかねない。だが、民主主義をそれなりに経験してきた国は、20世紀前半の上海の租界や関所だらけの江戸時代のような世界に、まさか本気で後戻りしようとは思わないはずなのだ。余程のきっかけでもない限り。

その余程のきっかけが今回のワクチンなのかもしれない。ワクチンを打ち続けられる立場の人間は、『銀河鉄道９９９』の機械の体をメンテナンスし続けられる人間と重なる。富国と貧国の経済格差がワクチン接種率に比例する状況が現にある。もちろん先進国では貧富の差に関係なくワクチンは打たれているだろうが、健康上の理由でそうできない人も大ぜい居る。ワクチンパスポート的な発想が現実化するなら、ゲートの外に追いやられる人々が国内的にも国際的にも一時的にたくさん出てこざるを得ない。そのとき人間の権利への政治的・社会的配慮がどこまで行き届くのか。

人々の命と健康を守るため、強権的施策を非常時に限って理性と正義を忘れずに運用することに、私は必ずしも反対ではない。苛政でしか守れぬものもある。歴史を振り返っても疫病時代の特徴だ。が、その時期が長丁場になり、ゲーテッドコミュニティの発想が防疫を超え、食い詰めた資本主義国の統治の原理にいつの間にかすり替わって、世界が中華人民共和国化してゆく可能性を思わぬではない。

『銀河鉄道９９９』の星野鉄郎は機械の体の値打ちへの懐疑も抱きつつ長旅を続ける。私達もウイルスの危険性とワクチンの有効性を天秤にかけながら彷徨する銀河鉄道の列車に乗せられてしまった。長旅になる気もする。すべての鉄郎よ、周囲に理性が存在するかどうか、いつも怖がって確かめなさい。安心安全な終着駅にたどり着くその日まで。

(2021/09/16)

平安貴族はわれらの同時代人

もののけ。おなじみの古語である。『もののけ姫』というアニメ映画もあった。もののけの「もの」とは、当然だが、単なる普通の者や物ではない。尋常ならざるものだ。その気、つまりエネルギーが、もののけだろう。

いつから使われた言葉か。記紀万葉の昔にはまだあるまい。古い用例を探すと、たとえば『日本後紀』に、平安京遷都から36年後の天長7（830）年、朝廷が「物恠《もののけ》」を祓うべく都で僧たちに『金剛般若経』を読誦せしめたとある。この頃は全国で疫病が流行し、病魔退散に効果ありと信じられた『金剛般若経』が人気を呼んでいたという。なら、天長7年の都のもののけとは、疫病をはやらす邪悪なエネルギーのことと考えられなくもない。天長の疫病流行期に、細菌かウイルスのことを言い表わそうとして生まれた新語が、もののけだったのではあるまいか。

もしもしも、そうだとすれば、平安貴族がしょっちゅうしていた物忌《ものいみ》という習慣の意味も、見えてくるかもしれない。物忌とは何か。『枕草子』の132段を読もう。正暦年間、西暦だと990年代初頭のある日、一条天皇の乳母、藤原繁子のところに、どこからの使者なのか、怪童がやって来て、手紙を差し出した。しかし繁子は物忌の最中。怪童を建物に入れず、格子戸越しに取次の女房が手紙を受けとりはしたが、繁子は物忌の間はよそのものにさわってなるものかと、開きも読みもしなかった。

要するに物忌とは、外来との接触を一切断つ生活様式だ。平安期の約400年のあいだに疫病は、どうやら100回以上、大流行している。新型インフルエンザか新型コロナか、しゃくりあげるような咳に苦しめられた挙句の果てに多くが死に至る病の長期流行だけで、最低7回もある。細菌やウイルスが発見されていなくても、邪気とは伝染するものだという観念は共有されていた。元気がなければ、もののけに負ける。そこで不調時には物忌する習慣も生まれる。しかし物忌は退屈だ。そこで詩歌づくりに楽器の稽古にと励み、碁や双六に耽る。平安期に文芸や雅楽やゲームが発達したのは、巣ごもり生活が多かったせいなのだろう。

そうした物忌とは、自己申告による自主警戒的な性格をかなり有していたと思われるが、ことは疫病流行阻止に関わるので、ご勝手に物忌を、だけでは済まない。国家社会がルールを決め、専門家の判断に従いながら、人や空間を強制的に隔離することも行われた。人と動物の死骸、死んだ場所などが特に警戒された。人死にのあった家なら30日間、閉鎖され、その家の者は隔離されるという原則もあった。伝染の危険範囲についても甲乙丙丁で判定された。

天慶4（941）年の秋のこと。かつて醍醐天皇の女御だった源和子の家で流産した者があった。直後、皇族の佐時王が同家を訪ね、流産の件を知らずに辞し、それから朝廷の建物のひとつ、陽成院に赴き、中納言の源清蔭に会い、清蔭はそのあと、御所に参内してしまった。この事例だと、源和子邸が甲処、陽成院が乙処、御所が丙処と判定される。平安期の常識では丙までがアウト。丁は助かる。ああ、御所も濃厚接触範囲に！

〝専門家会議〟は御所の隔離期間を14日と定め、その間の公的行事はすべて中止された。

疫病に繰り返し襲われた平安京の暮らしとは、そういうものだった。迷信を多分に含んだ、遠い昔の物語と思っていたが、『源氏物語』の時代は、条件が揃えば、いとも簡単に蘇るのだなあ。嗚呼、平安貴族はわれらの同時代人！　もっとも貴族でなければ、籠り続けても居られませんがね。（2022/02/17）

V

時代の申し子は何を遺したか――戦後への墓碑銘

市民はつらいよ——高島忠夫追悼

『ぴったしカン・カン』というクイズ番組があった。40年ほど前だろう。2019（令和元）年6月26日に88歳で亡くなった高島忠夫がゲストで出た。司会の久米宏が立て板に水で出題する。「高島さんにご自分のキャッチフレーズを考えてもらいました。ホニャラララホニャラララ高島忠夫。何でしょう。ぴったしチームから」

ぴったしチームのキャプテン、坂上二郎は困惑する。だが、隣に座る平田昭彦が即座に正答した。「明るく楽しい高島忠夫」。高島は驚く。「平田さん、どうして分かりましたか」。咄嗟の一言でも丁寧。古い俳優仲間の平田にも「分かったの」とは言わない。だからこそ彼はテレビの名司会者にもなれた。

平田はただちに応じた。「明るく楽しい東宝映画だから」。高島も平田も長く東宝の所属だった。高島は頭をかいた。

映画会社にはカラーがあった。東映なら勧善懲悪の時代劇や義理人情のやくざ映画。松竹なら庶民の哀歓。「つらい」が特に松竹的だ。『男はつらいよ』である。浮世は憂き世、辛い世。江戸時代からの庶民の価値観に乗る。

東宝はどうか。阪急電鉄の系統の会社である。宝塚歌劇も持つ。要するに創業者の小林一三の精神だ。侍でもやくざでも庶民でもない。近代的市民の夢を追う。大都会でホワイト・カラーになり、通勤電車の沿線の一戸建てに核家族で住む。パパはゴルフをし、ママは料理を作り、子供は楽器を習う。週末には家族で劇場や映画館に行く。料亭でなくレストランで食事をする。

東宝の「明るく楽しい」とは、そういう市民的明朗さを指す。そして高島忠夫は、フランキー堺や植木等とともに、東宝らしさをよく象徴した。

高島は神戸の人。関西学院の高校から大学に上がる頃、近代日本のクラシック音楽の大物作曲家で、神戸に住んだ大澤壽人《おおざわひさと》の手伝いをしていた。大澤は欧米に長く留学し、戦前のうちに交響曲とピアノ協奏曲に傑作をものした。戦後になると映画と放送の仕事に明け暮れた。セミ・クラシックに懸けた。大澤は1930（昭和5）年前後のアメリカで暮らし、ガーシュウィンの時代をじかに知っていた。難しすぎず、下卑すぎず。センスのいい中間層のための音楽。それに支えられたアメリカの市民生活。戦後日本をそちらへと導こうとした。

高島は大澤の仕事場と放送局とをつなぎ、楽譜や台本を運ぶ仕事をした。その一方で数々の楽器を弾きこなし、軽音楽のバンドに加わり、歌も上手。早世した大澤の夢を受け継いだのが高島なのかもしれない。

俳優になると、数々のジャズ映画で歌いまくり、ハリウッドの向こうを張った東宝のミュージカル映画『君も出世ができる』では主演した。谷川俊太郎作詞、黛敏郎作曲である。

舞台俳優としては『ザ・サウンド・オブ・ミュージック』などのブロードウェイ・ミュージカルを日本に移植する公演で活躍。テレビだと、高度成長期における中間層の音楽趣味の成熟を体現した音楽クイズ番組『クイズ！ドレミファドン』と、戦後の食生活に豊かな夢を与えた名番組『ごちそうさま』の司会に尽きる。私生活では宝塚歌劇のスター、寿美花代と結婚し、「明るく楽しい家庭」を地で行った。

だが、理想の市民を演じ続けることは、やはり大変だったのだ。貧しい庶民もつらいが、豊かな市民もつらいよ。晩年の高島は重度の鬱病に悩まされた。

高島忠夫の死。それは戦後日本の中間層の麗しき夢の終わりだ。何しろ本家本元のアメリカがトランプ大統領の時代なのだから。(2019/07/25)

下山事件と金田正一

下山、三鷹、松川。国鉄をめぐる三つの怪事件は、1949（昭和24）年の夏に連続した。常磐線の線路上に国鉄総裁の変死体が！　中央線で無人列車が暴走！　東北本線の線路を誰かが取り外して列車が脱線転覆！　占領軍が労働組合つぶしのために仕掛けた謀略か。日本革命のための赤色テロか。松本清張が書き、山本薩夫や熊井啓が映画にしたが、真相は藪の中のまま、70年が過ぎた。

敗戦直後、日本の国鉄の列車運行は需要にまるで追いつかなかった。原因は戦争。資材不足が慢性化し、車両整備や保線が行き届かなくなった。空襲が車両と線路を壊し、とどめを刺した。

平和が戻っても、敗戦国の財政は逼迫する一方。占領軍の指令で、国鉄は運輸省の直接経営から外れ、49年6月、独立採算の日本国有鉄道が誕生させられた。約60万の職員を約50万人まで減らす、過激なリストラも求められた。

そのタイミングで三大事件。誰が何のために？　国鉄は上から下まで疑心暗鬼に覆われ、組織はますます乱れた。

怪死した下山定則の後を受けた二代目総裁、加賀山之雄は考えた。剣呑な労使関係に和を取り戻す手はないか。国鉄といえば野球だ。北海道から九州まで社会人野球の強豪チームを育ててきた。野球はチーム・プレー。試合中、間が多いのも、鉄道運行業務に似る。国鉄マンには野球好きが多い。

おりしもプロ野球はそれまでの一リーグ制を50（昭和25）年春から二リーグ制に改め、チームを増やそうとしていた。鉄道復興の象徴として、50年1月から東海道本線に特急「つばめ」も走る。ならば国鉄スワローズだ。

できたチームは弱かった。50年から64（昭和39）年の15シーズンで、3位になったのは61（昭和36）年ただ一度。あとは4位以下。

でも、そこから国民的英雄が誕生した。チーム創設初年度から先発陣に弱冠17歳で加わった、金田正一である。彼は64年までに353勝した。同期間の国鉄の総勝利数が833なので、ひとりで4割強。相手には巨人や阪神が居る。弱いチームで鬼神のごとき活躍。金田はほとんど生き神になった。大国鉄の一致団結の象徴に祭り上げられた。金田の英雄化と国鉄の業績回復の過程は並行した。戦後復興から高度成長へ。その中心には陸上交通の王者、国鉄が居た。64年には東京オリンピックに合わせ、東海道新幹線も開業した。

投手金田の魅力は何か。変化球が凄い。が、変化球が生きたのは剛速球あってこそ。盛時の速球は時速160キロとも推定される。特急「つばめ」や本物の日本のツバメよりも速かった。だが、新幹線に比べるとさすがに遅い。

64年のオフ・シーズン、金田は自らの強い意志で巨人に移籍。金田のいないスワローズなんて、とばかりに、国鉄も球団経営から撤退。新幹線に沸いた64年の国鉄は、実はトラックに貨物輸送を侵食され、単年度で赤字に転落した。傾き出した年でもあった。

その後の国鉄では労使対立が厳しさを増し、国労と動労のストライキが名物となって、それを憎んだ中曽根康弘を立役者とする、分割民営化の流れが次第に渦巻きはじめる。金田なくして国鉄は一家になれず、金田の切れ目が戦後国鉄の切れ目だったのだろう。

私は近鉄ファンとして、1970年代前半の球場で、ロッテの監督、金田正一をよく見た。ギラギラしていた。カリスマ性というものだろう。

時は流れ、JR北海道やJR四国の経営の厳しさをよく耳にするこの頃、ついに金田の訃報を聞く。ご冥福を祈りつつ、旧国鉄の将来を思う。（2019/11/07）

梅宮辰夫と第三次世界大戦

『週刊新潮』編集部原案の劇映画が1960（昭和35）年秋に封切られた。『第三次世界大戦　四十一時間の恐怖』。主演は2019（令和元）年師走に逝った梅宮辰夫。第二東映の作品である。

その頃、戦後映画界は下り坂に差し掛かっていた。が、東映の大川博社長は、製作本数と上映館数を増やせば増収増益はなお可能と信じた。そのために製作と配給のラインを一本新設しよう。時代の徒花、第二東映の誕生だ。

「第二東映は従来の東映作品より内容や製作費をさらにおとした通俗娯楽を本位とし、出演俳優その他も若手の新進を起用した」（田中純一郎『日本映画発達史』）。まだ鳴かず飛ばずの梅宮辰夫も大抜擢され、主演作を連発した。

『第三次世界大戦　四十一時間の恐怖』は60年安保に合わせた企画だ。安保闘争の根っこにあったのは、親米国であるがゆえに反米国の核攻撃を受けることへの、国民の本能的恐怖だろう。映画はその恐怖を政治や思想抜きでつかまえ、第二東映らしい通俗娯楽の次元で語り切る。日高繁明監督が巧みだ。

米軍機が飛び回る東京。騒音に顔をしかめる高校生三人組。米軍の暗喩たる乱暴な上級生の言いなりになっている。彼らの会話はこんな具合だ。

「ラジオも新聞も第三次大戦の危機を伝えてる」。「日本は戦争を放棄してるだろ」。「だけど基地を提供してるぞ」

三人組は最終戦争を恐怖し、アフリカへの密航を企て、捕まる。それを時代の不安の象徴として書きたてるのが、梅宮辰夫扮する新聞記者だ。恋人は三田佳子扮する看護師。梅宮は三田に結婚を申し込むが、彼女は頷かない。三田も時代への漠たる不安を抱えている。

その不安が現実化する。米韓共同軍事演習のさなか、米軍機が墜落。米朝双方が互いの陰謀と罵り合う。中ソも絡む。大戦目前。日本は国際的存在感ゼロ。東京の道に避難民が溢れる。「水爆じゃ逃げても無駄」と言いながら、加藤嘉も二階堂有希子も逃げる。梅宮は東京郊外で取材続行。すぐにキノコ雲！　が、梅宮はなぜか生き残り、廃墟と化した都心へ。すると、またなぜか美しい三田の死体を直ちに発見する。梅宮は三田を抱き上げ、記者魂に駆られて叫ぶ。「誰が戦争を始めたんだ！」

この役が、そのあとの役者梅宮の生きざまと、どうも被る。梅宮は第二東映から東映本体のスターに生き残った。が、その存在感はいかにもB級だった。鶴田浩二や高倉健は常に仁義を忘れず、恩ある人が幾ら落ち目になろうと裏切らず、決死の殴り込みも辞さない。菅原文太は逆に仁義なく戦う。下剋上だ。覇権獲得のためなら命も捨てる。千葉真一は組織を当てにせず、ただ自己の肉体に賭ける。逞しき一匹狼の思想だ。

対して梅宮の当たり役と言えば「不良番長」シリーズでの愚連隊のリーダー。裏切るも裏切らないもない。やくざと盃を交わさない。正規軍にならない。義理を作らない。渦中に飛び込まず、仲間とゆるくつるみ、いい加減で、裏切り御免で、逃げるときは逃げる。元が第二東映に振られた見切り品のスターなのだ。有頂天にならず、醒めて世界を値踏みし、友達面した奴の心底をドライに見定め、なぜかいつも最後まで生き残っている。梅宮の真骨頂だ。

戦後日本は鶴田や健さん、文太や千葉に憧れてきただろう。存在感の無いのはいやだ。人情である。岸信介首相の安保改定も、昨年末の自衛隊海外派遣決定もその表れと思う。が、60年安保から60年経って何が変わったのか。梅宮辰夫という、肝が据わっているからこそしゃしゃり出ない生き方が、妙に心に沁みる、今日この頃なのです。(2020/01/30)

『東村山音頭』の戦後文化史的意義について

荒井注が休養！　後釜は志村けん！　ザ・ドリフターズのメンバー交替をリーダーのいかりや長介が発表した、１９７４（昭和49）年春の『8時だョ！全員集合』をよく覚えている。石油ショックの混乱期。トイレットペーパーの買い占め騒動は一段落した頃。私は小学生。毎週『全員集合』を観ながら、級友には「ドリフなんて野暮」と生意気を言っていた。

そう、ドリフは何だか泥臭かった。『全員集合』のオープニングからして北海道民謡『北海盆唄』の替え歌。野趣に富んだ『ドリフのズンドコ節』も流行らせた。メンバーには、頑固な田舎オヤジ風のいかりやと荒井。そして、人気の中心にはひょうきんな地方青年のキャラクターの加藤茶が居た。

そんなドリフとは、ハナ肇とクレージーキャッツのアンチテーゼだった。クレージーは背広が似合った。演奏もコントの芸風も、アメリカのエンタテインメントと結びついていた。貧しい戦後日本に豊かさへの憧れを掻き立てた。谷啓の芸名もアメリカの名コメディアン、ダニー・ケイに由来する。植木等主演の痛快な映画群は、多くは東京でのサラリーマンの大出世物語。アメリカン・ドリームの日本版だ。

そんなクレージーの体現するホワイト・カラーに憧れ、地方青年は都会を目指す。だが、皆が出世するはずはない。都会の裾野は地方出身のブルー・カラーで一杯に。彼らは、憧れとしてのクレージーよりも、自らの分身を欲する。都市に対する地方、洗練に対する非洗練。それがドリフだった。

ところが高度成長は、この二項対立を弱めてゆく。みんなが豊かに。地方も都市的に。一億総中流化だ。ドリフもイメージ・チェンジを迫られる。そこに現れたのが志村けんだった。

彼の名を不動にしたのは、76（昭和51）年の『志村けんの全員集合東村山音頭』の大ヒットである。東村山とは東京都でも旧郡部の多摩地区の市名だ。『全員集合』の放送が始まった69（昭和44）年に多摩の人口は約230万だったが、76年には300万人を突破。多摩は地方から首都圏への転住者をブラック・ホールのように吸い上げていた。神奈川や埼玉や千葉も同様。埼玉県の人口は昭和40年代のうちに約300万人から500万人近くへと激増した。

『東村山音頭』とはそんな時代の音楽だった。ここで東村山は単に東京都東村山市のことだけではない。大都市部のベッドタウンの象徴なのだ。中産階級が群れを成して住み、子供も増える一方。第二次ベビーブームは70年代前半だ。『東村山音頭』は、アメリカの華やかなショー番組風のイントロに乗せて志村けんが登場し、戦前の新民謡『ちゃっきり節』に似た盆踊り歌を始め、最後は「ウワーォ！　一丁目　一丁目　ウワーォ！」と、幼児もすぐ真似したくなるような叫びを発し、なぜか英語でサンキューと締める。

クレージーとドリフ、きらびやかなアメリカ音楽とひなびた民謡、ホワイト・カラーとブルー・カラーを総合し、都市と地方の対立を止揚する郊外を発見し、幼児から老人にまで受ける間口の広さを持った、究極のコミック・ソング。それが『東村山音頭』だった。

志村けんとは、70年代このかたの日本の長く幸せな時代の象徴だったのだろう。思い出は新型肺炎と共に去りぬ。（2020/04/30）

田中邦衛という怨歌——安部公房と倉本聰の間で

面長を馬面と呼んでは蔑みが入るという。でも、田中邦衛という俳優の面貌は人間離れしていた。やっぱり馬面だ。楽しい芝居のときは動物的な愛嬌、暗い芝居のときはけだものの怖さを発した。

そう言えば田中の映画での当たり役は動物の名と結びついていた。1961（昭和36）年に始まる加山雄三主演の「若大将シリーズ」では敵役の青大将。深作欣二監督の『人斬り与太　狂犬三兄弟』では、菅原文太の弟分の凶暴な〝狂犬〟。面長ならではの振り幅で、昭和の映画スターを引き立てた。加山や文太がA面なら、田中は見事なB面だった。

が、むろん田中はB面にとどまらない。笠智衆にとっての小津安二郎のように、田中にA面を張らせた人がいた。まずは安部公房だ。田中はもともと新劇俳優。長年、劇団俳優座に所属し、58（昭和33）年、25歳で抜擢されて、安部の新作『幽霊はここにいる』に主演した。既に芥川賞作家だった安部は、この戯曲の成功で劇界でも地位を確立した。

62（昭和37）年には安部は勅使《てし》河原宏《がはらひろし》監督と組み、映画『おとし穴』を世に問うが、そこで大役を演じたのも田中。安部が73（昭和48）年に自らの劇団を旗揚げすると、俳優座を飛び出して参加したのも田中。74（昭和49）年に安部の作と演出による『緑色のストッキング』に主演し、紀伊國屋演劇賞を受けたのが、田中の舞台俳優としてのキャリアの頂点になる。

そんな田中と安部のコンビには必然性があったと思う。安部は役者の台詞よりも肉体が雄弁な演劇を理想とした。安部の作品の名を少し並べる。『けものたちは故郷をめざす』、『幽霊はここにいる』、『棒になった男』、『石の眼』、『砂の女』……。けものと幽霊と棒と石と砂。この組み合わせが安部だ。

安部は敗戦直後の満洲で極限を経験した。ソ連軍相手には理知的な言葉では何も解決せぬ。国家に見捨てられた日本人は生きるためにけものとなり、疫病や飢えで死ねば死体はコチコチに凍って、まるで棒や石と化す。そんな死にざまでは成仏できない。顔を歪め、必死に耐え、死んでも魂魄この世にとどまり、訴えたくても物が言えず、苛立ちを募らす。安部は一時期、日本共産党員でもあった。死せる民衆の苛立ちがついに世直しに結び付く日を夢見ていた。そんな安部の夢を舞台で言葉要らずの面相と肉体で叶えられる俳優といったら？　あの面長の顔の織りなす百面相がどんな喋りよりも雄弁な田中以外に考えられまい。

安部と田中の蜜月時代が様々な理由から終わったあと、田中を演劇でも映画でもなくテレビのA面に引き取ったのは倉本聰だった。安部にはけものと幽霊と無機物を兼ねられる名優だった田中は、倉本の『北の国から』で、東京中心の現代文明に背を向け、けれど幽霊や骨にはならず、口数少ないタフな生活者として内心に猛烈な不満を抱えながら、踏まれても黙って耐え、しかし顔を見ればその気持ちは誰にも分かる、黒板五郎という役を与えられた。田中は敗戦の年に13歳の少国民世代で、敗戦後、不良になり、あの面貌は不良少年の経験を刻んでいるからこそということも、思い出しておいてよい。

田中はまつろわぬ民衆の原像か象徴みたいな俳優だった。これからの日本は棄民の時代になると思っている。田中は死すともあの顔は死なず。（2021/04/29）

なぐさまってはいけません――瀬戸内寂聴さんを偲ぶ

故瀬戸内寂聴さんは、獄中の永田洋子と、長年交際した。山岳ベース事件で同志を大量殺害し、死刑判決を受けた、連合赤軍の、あの永田である。寂聴さんは永田の控訴審に弁護側の証人として出廷しもした。そのときの言葉を引く。

「例えば、中で自殺をした方があります」。一審の初回公判前に独房で首を吊った、連合赤軍の中央委員会委員長、森恒夫のことだ。「そうするとそれでこそなぐさまるというふうな我々の市民感情があります。私もそうでした」

なぐさまる？　余り聞かない。でもたとえば横光利一の小説『微笑』の一節。「出て来た梶の妻も食べ物の無くなった日の詫びを云ってから、胡瓜もみを出した。栖方《せいほう》は、梶の妻と地方の言葉で話すのが、何より慰まる風らしかった」

さすが横光！　このくだりは「慰められる」だとうまくない。梶の妻は栖方を慰めたくて方言を喋っているのではない。栖方が梶の妻の方言に同郷のよしみを感じ、勝手に自分を慰めている。「AがBを慰める」というような、目的語の要る他動詞的関係に至っていない。「Aが一人で慰まる」という自己完結的な自動詞で十分なのだ。

「慰める」と「慰まる」。元を辿ればどちらも「慰む」だろう。この古い言葉は、他動詞的のみならず、自動詞的にも用いられてきた。たとえば『竹取物語』。竹取の翁は幼いかぐや姫を観ると「腹立たしきことも慰みけり」。姫は翁を慰める意思を持たぬのだが、翁は姫を勝手に鑑賞対象とし、慰まっている。けれど、この自動詞的な「慰む」は「慰まる」という現代語に広く一般的に進化できたとは言い難い。だから用例も限られる。他動詞的な「慰む」は「慰める」になって、皆がいやというほど使っているというのに。

なぜだろうか。「慰む」という言葉は中世以後、人を弄ぶ意味を強めたと、辞書にある。翁が幼女を眺めて楽しむ域を越えた。誰かが誰かを慰み者として暴力的に弄び、束の間の満足を得るという、よからぬニュアンスが自動詞的な「慰む」に覆い被さった。他者を慰めることを第一義とする他動詞的な「慰む」は良いイメージにもつながろうが、自己が慰まることを第一義とする自動詞的な「慰む」は慰み者という犠牲を求めるゆえに、悪いイメージも付く。使わぬに越したことはない言葉として抑圧されたのだと思う。

でも、言葉を抑圧して見えにくくすることで、かえってその意味する行為が解放されることがある。「慰まる」はその最たるものではあるまいか。慰み者を求め、ハラスメントやバッシングとも結びつきながら、日々刹那的に慰まろうとする。他者をいたぶり、何やら憂さを晴らすのが、人間の昏《くら》い性根だ。劣情というやつだ。そして歴史的には、男性よりも女性の方が、慰み者にされがちだった。そのあたりに、近現代日本の作家で恐らく最も敏感だったのが、女性である寂聴さんだった。

そんな寂聴さんの文学は、世間の慰み者にされるがゆえに決して自らは慰まれない女性を描くことで、圧倒的な輝きを放った。慰まることを知らぬがゆえに文を綴れた、和泉式部や田村俊子や岡本かの子。世直しが成就しなければ決して慰まることのない、管《かん》野《の》スガや伊藤野枝《のえ》ら、女性革命家。永田洋子もその系譜上に発見されたのだろう。彼女らの慰まらぬ心を、寂しさ、哀しさを厭わず聴き続け、自らも慰まることとは無縁で、そういう言わば不満力を長寿のエネルギーに変換していた人こそ寂聴さんだったろう。

人を弄んで慰まろうとする劣情が市民感情にある限り、この国に品格は生まれず、寂聴さんも成仏せぬでしょう。(2021/12/16)

ゼロ戦的な、余りにゼロ戦的な神田沙也加追悼

「を」はどう発音されるべきか。1873(明治6)年に刊行された『文部省編纂小学教授書』の五十音図では、ワ行は「ワヰ于ヱヲ」と表記されている。子音はむろんw。ならば「wa、wi、wu、we、wo」が本来だろう。が、音韻は簡便さを目指す。定説では、早くも王朝時代にワ行の音は曖昧化し、江戸時代のうちには「ワ」を除くとwの音が完全にとれて、「ヲ」の音も「オ」に同化したとされる。

けれど、耳をよく欹《そばだ》ててみれば、現代にも「wo」は生きている。たとえば歌舞伎や文楽や能や狂言だと、古風な日本語の響きを求めるから、「を」をはっきり「wo」と聞かすことは多い。いや、伝統芸能だけではない。日本語のオペラやミュージカルでも「wo」に出会うことがある。現代口語から消えてしまった言葉の響きの綾、複雑さ、微妙さを、最大限に味わわせ、そこに豊かな日本語の魅力を再発見しようとすれば、「wo」にこだわる役者や歌手も出るだろう。

神田沙也加という人が居た。出演したたくさんのミュージカルのほんの幾つかに接し

ただけだけれど、少なくとも最近の舞台では、「を」のときは「wo」とはっきりこだわっていた。彼女は日本語を深く掘り下げ、磨いていた。鼻濁音は絶妙にコントロールされていた。地声というか喉声というか、喜怒哀楽のこもった雑味ある声色を、綺麗な歌声に上手に混ぜ込み、言葉と声を繊細にして精緻に、壊れやすいガラス細工のように織りなして、倦《う》むことがなかった。

そして、何よりも、母音を鳴らし過ぎずに子音をはっきり常に立てようとする意識が、神田の日本語歌唱に沁み通っていた。そこが素晴らしかった。

かつて本居宣長は、日本語を世界に冠たる言語と礼賛し、その最大の長所を母音がアイウエオという明瞭な五つの音に集約されているところに求めた。そんな日本語観の伝統のなせるわざか、クラシック系でも宝塚歌劇系でも劇団四季系でも、日本語オペラやミュージカルでは母音をいちいちたっぷり鳴らそうとする演者がとても多い。母音重視の弊害は、子音が弱くなりがちなこと。極端な場合、「わたし」が「ああい」に聞こえてしまう。日本語が聴き取りにくくなる。そこで、母音をたっぷり鳴らす姿勢を変えないまま、子音も強くしようと工夫しだすと、今度は不自然で人工的になりがち。丁寧過ぎて墨も濃すぎる楷書体というか。「わたし」が「わあ・たあ・しい」みたいになってしまう。

神田は、そういう難所を見事に突破できていた、日本に珍しいミュージカル女優だったと思う。彼女は、ポップ・シンガーという出自に相応しい、軽やかに喋くりまくるような、浅めの発声法を駆使した。子音を立て、母音の馬力を軽くし、とても聴き取りやすい日本語を操った。そうして、薄墨色の、でもとても読みやすい行書体というか、感情の機微をよく表し、スピーディでフラジャイルな日本語歌唱を生み出した。センシビリティにおいて突出していた。

それは裏返せば、馬力の弱い分、音程も音色も声量も、スタビリティを欠きがちだったということにもなる。もしかして母親の松田聖子よりも声帯は細く薄かったのではないか。母の声には強固な安定性がある。簡単には墜ちぬグラマン戦闘機か。対する娘はまさにゼロ戦。機動力と脆さが紙一重の魅力だ。母とは逆の芸境に活路を見いだし、大活躍して、エンジンを掛け直せばきっとまだ調整可能だったろうに、ちょっと飛び過ぎてしまったのか、墜落した。

あまりに惜しい。日本語ミュージカルを新世界に導きうる本物の宝石はもう死んでしまったのです。(2022/01/13)

ゴジラとしての石原慎太郎

『太陽の季節』。石原慎太郎のデビュー作だ。1955（昭和30）年、文芸誌に発表されると、たちまち人気沸騰。芥川賞を得、映画化され、その映画で弟の裕次郎も世に出た。さて、その前に流行っていた小説と言えば？　三島由紀夫の『潮騒』だろう。54（昭和29）年刊行。やはり映画になった。

どちらも海と愛の物語。でも、その先が違う。『潮騒』は、戦後風俗から断絶した伊勢湾の小島で、童貞の新治と処女の初江の眩しい純愛を描く。対して『太陽の季節』は、戦後風俗の先端を行く湘南で、拳闘好きの高校生の竜哉と彼のファンの英子とのやけっぱちで暴力的な性愛を描く。

新治と初江には、もはや誰もなれそうにない、でも竜哉と英子には、当世の若者なら誰もがなれるかも。真似できそうなものは〝族〟を生む。かくして太陽族が生まれた。

また、二つの作品の文体も著しく対照的。『潮騒』は瑞々しいレトリックに満ちる。作品そのものがまるで伊勢湾に昇る太陽。小説の模範。しかし『太陽の季節』はあまりにぶっきらぼう。まるで映画のシナリオとも評された。それは頗《すこぶ》る正しい！　だから慎太郎の小説はすぐ映画にできた。慎太郎が原作・脚本・主演を兼ね、自ら太陽族を演じた映画『日蝕の夏』（56年）さえ登場した。慎太郎本人が、前髪を少し額に垂らして後ろをしっかり刈り上げた、慎太郎刈りを誇示しつつ、バイクを乗り回し、湘南を暴れ回る！

慎太郎は作家の枠を超えた。言わばメディア人間になった。活字と映像をまたにかけ、文学とサッカーで鍛えた肉体を込みにして、アイドルと化した。そういえば慎太郎には『危険な英雄』（57年）という主演映画もあった。世間の熱狂を誘えるのなら、何でもしでかす傍若無人な新聞記者が主人公。マスコミ時代の〝危険な英雄〟！

そんな慎太郎に激しく嫉妬したのが三島由紀夫だろう。三島は、慎太郎に負けないメディア人間に変身したがった。三島がボディビルに傾倒し、見せられる肉体を作り始めるのは『太陽の季節』の発表直後。慎太郎を追い、主演映画を撮りもする。慎太郎の文学を擁護し、その社会を巻き込む個性に大衆政治家となる資質を発見したのも、三島だ。慎太郎は三島の示唆もあって政界入りを決意する。慎太郎は68（昭和43）年に国会へ。三島も同時期、政治に深入りを始めた。

二人はなぜ政治に？　イライラしていたからだろう。ただ、その中身がまたも極端に違う。三島は、天皇を神とせず、国軍の存在を認めぬ戦後に憤った。でも、慎太郎のイライラには決まった中身がない。慎太郎は56（昭和31）年のエッセイで早くもこう述べていた。「我々が共通して抱く、既成価値に対する不信とある面では生理的な嫌悪」によって「我々の世代」は存在価値を有する。そして、その不信感や嫌悪感とは、特定のイデオロギーよりも「あくまで肉体と生理の健康さによって形造られ」る。老いても健康であれば、イライラという破壊的創造力は保たれるだろう。むろんイライラの対象は、この国だったり、アメリカだったり、中国だったり。時代と人間の生理に即して変わってゆく。

絵本作家の長谷川集平は確か「ゴジラは日本人のイライラ」と喝破した。その意味で慎太郎はゴジラであった。三島が唯一無二の目標を掲げた一度のクーデターに賭けたなら、慎太郎は大衆のイライラをナビし続ける永久クーデターを目指した。イライラは健全な肉体に宿るとの理屈だから、スポーツやオリンピックが彼に欠かせぬ主題になった。

その慎太郎が北京オリンピックの直前に逝く。日本人の高まるイライラを、この先、誰が引き受けるのでしょうか。（2022/02/24）

最後の〝満洲的〟日本人――宝田明追悼

長身！　カッコいい！　でもちょっとキザ。本当に日本人かしら？　映像では見慣れていた宝田明の実物を、観客席から初めて見つめたときの感想である。1974（昭和49）年8月、日比谷の帝国劇場。私は小学5年生。演目は『パノラマ島奇譚　夢の国・虹の島』だった。原作は江戸川乱歩の猟奇的な小説だが、そこは健全明朗な東宝の芝居。菊田一夫の脚色はおどろおどろしさから上手に距離をとる。宝田とフランキー堺と水前寺清子のやりとりの何と闊達なことと！　子供にも楽しい。パノラマ島の仕掛けを見せる大道具・小道具は、節約の叫ばれたオイル・ショック下の世相を反映していたのか、やや貧相ではあったけれど。

それからも宝田さんを見続けた。仕事でご一緒したこともあった。日本人離れした体軀。派手なジェスチャー。過剰なまでにコミュニカティヴ。つまりくどいほどに伝達的。しかも、いつもどこか、にやけている。たとえば三つ年上の高倉健が不器用な求道性の象徴なら、宝田は器用な遊戯性の象徴だった。そこで森繁久彌を思い出す。二枚目の宝田と喜劇の森繁。世代も違う。しかし、したたかでわざとらしい芸の本質はやはり似ていた。赤裸々に言ってしまうと、二人とも何だかインチキくさいのである。

宝田と森繁には歴史と風土の共通体験がある。若き森繁は敗戦まで長いこと、満洲国の首都、新京で、放送局のアナウンサーをしていた。宝田少年はというと、父親が満鉄勤務で満洲育ち。敗戦をハルビンで迎えた。二人とも混乱する満洲で中国とソ連に揉まれた。不器用や寡黙を売りにしては生き残れない。ハッタリをかましてでも自己主張するしかない。日本列島のぬるま湯の中に居るのとは、表情筋の鍛え方が違う。喋り方も二枚腰三枚腰になる。満洲に取り残されるとはそういうことだったろう。

宝田は戦後のスターのひとりに違いない。でも、心も体も日本的規格からはみ出ていたゆえか、軽く見られがちだった。主演映画も多くは都会的な娯楽物。シリアスな大作などは少ない。長く東宝に所属したのに、同社の誇った巨匠、黒澤明監督の映画に1本も出ていなかったりする。

けれど、宝田は、三船敏郎のように黒澤映画で顔を売らずとも、特に1960年代には、堂々たる国際派スターであったのだ。東宝映画は、阪急東宝グループの総帥、小林一三の意向もあって、戦後早くから海外市場を目指した。コンスタントに稼げたのはS

F怪獣映画。「ゴジラ・シリーズ」だ。第1作の『ゴジラ』（54年）の主演俳優はといえば、当時20歳の宝田である。以後、日米合作の『怪獣大戦争』や『キングコングの逆襲』や『緯度0大作戦』で、ニック・アダムスやジョセフ・コットンといった米国の二枚目を相手にしても遜色なき存在感を示した。香港映画界の美人女優、尤敏《ゆうみん》とコンビを組んでのメロドラマを、次々と香港や東南アジアでヒットさせもした。海外に日本映画を売るなら、西洋人と張り合って絵になることでは余人をもって代えがたい宝田頼み。そういう時代が確かにあった。

世界に本当に通用する日本人像と、通用するはずと日本人自身が思い込んでいる日本人像とのあいだには、いつもギャップがある。その裂け目の中を、国内ではどうも一流半扱いされ続けた宝田というスターは、生涯、漂っていた。

宝田のコミュニカティヴな派手さを一流半としか感じないのが、日本人の相変わらずの島国根性的自意識とすれば、過酷さをいよいよ増すばかりの現代世界で、この国が生き残っていけるのか、背筋が寒くなってくるのでございます。（2022/04/07）

日米同盟と大井川

ＪＲ東海の名誉会長、葛西敬之氏が亡くなった。「国鉄改革三人組」のひとり。天文学的赤字を抱えた国鉄の幹部職員として内部から建て直しを推進し、１９８７（昭和62）年、ついに民営分割へ。葛西氏の辣腕なくして事は成らなかったろう。

が、氏は単なる壊し屋や再建屋ではない。国士であった。日本は強国たるべし。そのために鉄路への投資は幹線に集中されるべし。国土の核心的地域（東海道！）の人流と物流を最大化させ、スピードも速めてゆく。目方は力なり。時は金なり。要するに幹線には弾丸列車を走らせるのだ。

幹線に弾丸列車。戦前から構想された。日中戦争が始まると日本と大陸の間の人流・物流は飛躍的に増大。鉄道輸送の量も速度も追いつかない。ならば東京と北京を結ぶ国際鉄道の幹線を新たに設ければよい。東亜新秩序形成の切り札は新幹線を走る弾丸列車、すなわち超特急だ。戦争中に工事が部分的とはいえ始められた。未完に終わったけれど。その続きが戦後の東海道・山陽新幹線に他ならない。

葛西氏は、国鉄労働者を養う社会主義的共同体としての国鉄や、採算を度外視してでも国中に鉄道網を張り巡らせようとする社会主義的公共事業体としての国鉄を、確かに終わらせた。しかし、弾丸列車こそ国家の成長基軸という、戦前からの国有鉄道のコアな思想を平成・令和に受け継いだのも葛西氏であった。「こだま」や「ひかり」が音速にも光速にも負けじと鉄路を疾走するところに国家発展の「のぞみ」あり。そしてバトンは国鉄の最大級の科学技術遺産と言えるリニアモーターカーに渡されねばならぬ！

しかも、葛西氏がリニア中央新幹線に託したのぞみは、日本一国の話にとどまっていなかった。日米開戦間際、大蔵官僚だった迫水久常は言った。相手国に必要不可欠なものを有する国は強い。米国は我が国に不可欠な石油と屑鉄を持つ。しかるに我が国には逆の物がない。これぞ米国が我が国に高飛車に出てきて危機の迫る要因なのだと。葛西氏は、広大な米国では、日本以上にリニア超特急というインフラが生きると考えていたようである。そこで米国にリニアをたくさん売る。日本の技術なくして米国の運輸交通が成り立たぬようにする。日米同盟は盤石となろう。旧国鉄マンで親米愛国者、葛西氏の辿りついた夢と思う。

そんな葛西流の国家百年の計の前に立ち塞がるものがある。大井川水資源問題を楯にとる静岡県だ。そこで、静岡県知事の川勝平太氏が経済史家として冷戦構造崩壊後に唱えていた日本の未来構想が思い出されてもくる。むろん、学者としてのかつてのヴィジョンと、現在の知事としての政策を、一緒にしてはならないが。とにかく川勝氏はこう唱えていた。対立と競争の時代はもう終わり。成長よりも存続へと舵を切ろう。力の文明でなく美の文明を目指そう。しかも日本は陸の国でなく海の国。対して米中露は陸の国。文明の形態として日本とは揃って相性が悪い。だから日本は、陸の強大国とは一線を画し、東南アジアや太平洋の島々と海でつながる、新たな文明圏を築いてゆこう。川勝氏はそれを西太平洋津々浦々連合と称した。水の溢れる美しい国々の共同体なのだという。陸を驀進して山を貫く鉄道よりも、海を慌てず急がず行き交う船舶の姿が見えてくる。

葛西的なるものか、川勝的なるものか。鉄壁の同盟か、力の抜けた共同体か。陸か、海か。超特急か、川の流れか。そんな心配をしているうちに、いつの間にか新しい華夷秩序に呑み込まれ、リニア中央新幹線には隣国からのお客様ばかりが乗っている。なんてことにはなりませぬように。（2022/06/16）

ゴダール・トリュフォー・慎太郎

フランスの映画監督、ジャン＝リュック・ゴダールが亡くなった。フランソワ・トリュフォーと並び称された、ヌーヴェル・ヴァーグ（新しい波）の旗手である。

トリュフォーの出世作は１９５９（昭和34）年の『大人は判ってくれない』。ゴダールのそれは翌60（昭和35）年の『勝手にしやがれ』。この２本で「新しい波」は世界の流行語になった。はて、どこが新しかったか。大映画会社に頼らない手弁当的な製作スタイルが新しかった。が、問題はやはり作品の中身である。『大人は判ってくれない』では、イライラした少年が徹底的に親に反発する。犯罪に走る。少年鑑別所送りになる。が、改心しない。脱走して海へと逃げる。そこで何か超越する。大人と妥協せぬままに終わる。『勝手にしやがれ』では、イライラした青年が自動車を泥棒し、警官を射殺し、逃亡して、パリで恋人と楽しむが、恋人に裏切られ、警察に射殺される。「新しい波」とは、青少年がイライラして大人の世界に大胆に反抗し、生き残るか、死ぬかという、フランス発の映画群に冠された呼び名であった。

しかもその波はフランス映画のみならぬ概念へとすぐに拡張された。アンジェイ・ワイダ監督によるポーランド映画『灰とダイヤモンド』(58年)や大島渚監督による日本映画『青春残酷物語』(60年)も「新しい波」ということになった。どちらもイラついた若者の暴力と死を描く。ゴダールは『青春残酷物語』をこれぞ「新しい波」と褒めた。

もちろん、その波とは、1950年代の後半から特に日仏とポーランドで、戦後派の監督たちの仕事によって顕在化した波である。当時の日仏は米国の、ポーランドはソ連のひも付きである。ひも付きであるがゆえに存在を保障され、ひもを外さない前提のもとで、それなりの自由とそこそこの豊かさを享受できていた。しかも国のある場所は冷戦のフロント。イライラが昂進しなかったらどうかしている。『勝手にしやがれ』で、ジャン＝ポール・ベルモンド扮する主人公のフランス人青年を裏切って死に追いやる恋人は、本物の米国人女優、ジーン・セバーグ扮する米国人女性。『青春残酷物語』で、川津祐介扮する主人公の日本人青年がやたらと敵意を向けるのは、米国製を中心とする外車。イライラの究極の原因は映画の中に刻印されている。

すると、フランス映画史にとどまらぬ、冷戦期の若者のイライラする映画の起源はどの作品に求められるのか。トリュフォーは中平康監督の日本映画『狂った果実』(56年)

に注目した。原作と脚本は石原慎太郎。湘南の海を舞台に若者の過激な暴力と死が描かれる。石原の生み出した太陽族が、米国の〝属国〟となって自由に羽ばたけなくなった日本のイライラの戦後初期的象徴であるという説に従えば、太陽族の発展形が「新しい波」になったと見立てられないこともない。『大人は判ってくれない』のラスト・シーンの海は『狂った果実』の海へときっと通じているのだろう。

それから幾星霜。石原が『「NO」と言える日本』という本を出して息巻く時代もあったけれど、いつの間にか、日仏もポーランドも、米国とロシアと中国という軍事大国の狭間で、息苦しくなって、イライラを募らせる身分に再び落魄してきているようだ。『勝手にしやがれ』なる邦題は映画輸入会社の独創で、原題を直訳すれば「息切れして」となる。イライラして暴発して息切れして大きな力の前に倒れるという、悲劇の典型的パターンを表現している。

これからの危なさの募る世の中、イライラと息切れには、くれぐれも注意しましょう。

（2022/09/29）

銀河鉄道・シベリア鉄道・パパーハ

『銀河鉄道999《スリーナイン》』。漫画家、松本零士の代表作だ。主人公の星野鉄郎少年は、謎の美女、メーテルに導かれ、銀河鉄道に乗る。目的は？　生身を機械に取り換えれば、永遠の生命を得られるという。が、機械の体は高価。富裕層ばかりが自らを機械化し、言わば上級宇宙市民となって、生身の人間の生殺与奪の権さえ握っている。鉄郎は機械の体が欲しい。けれど貧しい。メーテルが宇宙の彼方に機械の体を無料で呉れる天国があると囁く。二人の旅が始まる。

宮澤賢治の『銀河鉄道の夜』が大きなモデルだろう。ジョバンニとカムパネルラという親友同士の2少年の旅。解釈は様々だが、私は日蓮の徒の前者と親鸞の徒の後者の宗教論争が物語の核心と思う。賢治は『法華経』を信奉し、日蓮宗系の新興宗教団体、国柱会に入り、父や親友の拠り所とする親鸞の浄土真宗と思想的に格闘した。親鸞は、現世に救いなく、人間に自らを救う力なく、ただ「南無阿弥陀仏」と唱え、阿弥陀仏の主宰する極楽に往生を願うしかないと説く。対して日蓮流の『法華経』理解では、皆が努力すれば現世が極楽になりうるとされる。まさに対蹠的だ。『銀河鉄道の夜』を読もう。そこでは、『銀河鉄道９９９』でもなぞられる設定だが、切符が大事だ。賢治の分身と思しきジョバンニは、車掌に改札を促され、「おかしな十ばかりの字を印刷したものでだまって見ているとなにかそのなかへ吸い込まれてしまうような」紙切れを出す。車掌らはそれを無期限・行き先自由の万能切符と解し、感嘆する。もしかして「南無妙法蓮華経」が日蓮流の大胆不敵な書体で刷ってあるのではないか。またジョバンニは乗り合わせたキリスト教徒にこう言う。「天上へなんか行かなくたっていいじゃないか。ぼくたちここで天上よりももっといいとこをこさえなけぁいけないって僕の先生が云ったよ」。まさに日蓮や国柱会の教えそのままだ。あるいは、カムパネルラが車窓から外を眺めて「あすこの野原はなんてきれいだろう。みんな集ってるねえ。あすこがほんとうの天上なんだ」と歓喜するとき。ジョバンニには同じ場所が「ぼんやり白くけむっている」としか見えない。彼岸か、此岸か。親鸞と日蓮の懸隔だろう。

そうしてジョバンニだけが地上に帰る。『銀河鉄道９９９』でも、鉄郎は宇宙の彼方の機械化人の天国に幻滅し、生身のまま地球に戻ってくる。メーテルもそのように鉄郎を成長させたかったのだろう。二つの銀河鉄道の物語はテーマの作りようもどこか似ている。

それにしても、銀河の際限なき長旅に、なぜ天空に相応しい宇宙船でなく地と切り離せぬ鉄道なのか。賢治は１９１８（大正７）年に盛岡高等農林学校を卒業し、徴兵検査を受けた。折しもシベリア出兵期。「仮令《たとい》シベリヤに倒れても瞑すべく」と父に書き送っている。出征と死を覚悟した。結局、徴兵されずに済んだのだが。でもその後、賢治は妙に北にこだわるようになる。樺太に行き、鉄道に乗る。強い信仰を求めて国柱会にも入る。死地になりえたシベリアが一種の強迫観念として刻まれたのか。そこには長い鉄路の象徴、シベリア鉄道が走る。やはりシベリアなくして銀河鉄道なる不思議なイメージは育たぬのではないかとも思う。

すると『銀河鉄道９９９』にはシベリアの痕跡が何かあるか。メーテルの帽子だ。ドン川やドニエプル川の流域を本場とするコサックの好むパパーハではないか。シベリアからウクライナまで、戦乱の地にコサックとパパーハあり。

松本は逝ってしまった。が、「ほんとうの天上」はどこかと彷徨《さまよ》う若い魂のある限り、『銀河鉄道９９９』は不滅です。（2023/03/09）

〝キメラ〟としての坂本龍一

坂本龍一の作曲の先生は松本民之助教授。小学生から東京藝術大学音楽学部の学生時代まで、坂本はずっと松本に付いた。松本の先生は下総皖一《かんいち》教授。「ささの葉さらさら」という歌い出しの唱歌『たなばたさま』の作曲者。下総の先生は信時潔教授。大正期から山田耕筰と並び称された大家である。山田が『赤とんぼ』なら信時は『海ゆかば』。太平洋戦争の記憶と深く結びついた歌だ。とにかく、信時→下総→松本→坂本という〝教授の系譜〟がある。坂本にとっての教授はあくまでニックネームだけれど。

この系譜には実がある。クラシック音楽の歴史を考えよう。モーツァルト→ベートーヴェン→ワーグナー。下るほどに、交響曲もオペラも形式が拡張し、時間は長く、ハーモニーはややこしくなる。オーケストラも巨大化する。経済発展と同じく右肩上がり。ところが信時も下総もそれに抗した。交響曲やオペラも作らず。『海ゆかば』や『たなばたさま』のようなシンプルな歌が彼らの真の代表作なのだ。

なぜか。信時は牧師の子。プロテスタントの讃美歌で育った。小さな教会で民衆が肩を寄せ合い、真摯に歌う。信時の理想の音楽だ。音楽とは人の魂に素朴に触れるのがいい。小さくて簡潔なのがいい。贅肉は殺げるだけ殺ごう。だが信時には西洋が染みつきすぎていた。『海ゆかば』もドイツの古風な讃美歌みたい。もっと日本らしく作りたい。夢は弟子に託された。音楽における日本らしさは、結局、5音音階に担われる。古代の雅楽も近世の民謡も然り。下総と松本は5音音階にこだわり、西洋の長短調の7音音階の作法と嚙み合わせつつ、なるたけ小さな音楽を仕立てようとした。『たなばたさま』のような。

その流れの先に坂本龍一は居る。オーケストラも使わなくはないが、ピアノがあれば十分。長い曲も作らなくはないが、コンパクトな音楽で十分。5音音階は日本のみならず、中国やモンゴル、東南アジアにも共通するのだから、和洋折衷から洋の東西の混交へとイメージを広げられもするはず。坂本流であろう。彼の代表作が、インドネシアのガムランにつながる『戦場のメリークリスマス』や、五族協和の満洲国を舞台に東アジアのスケール感を担う『ラストエンペラー』といった映画音楽であるのは偶然でない。

あと、1952（昭和27）年生まれということ。ヒッピーに新左翼。巨大産業文明よりも緑の党的なエコロジー。経済学者のシューマッハーが警世の書『スモールイズビューティフル』を世に問うたのは1973（昭和48）年だ。小さいけれど花も実もある「日本→アジア」の音楽イメージと、エコロジカルな文明観とは相性がいい。

いやいや、まだ話が足りぬ。何しろイエロー・マジック・オーケストラで、細野晴臣、高橋幸宏と共に一世を風靡した坂本だ。イエローにアジアの含蓄があるが、3人なのにオーケストラというのが面白い。ミニマムな人員だけれどマキシマムな表現があると言いたいのだろう。それを可能にしたのは電気楽器だ。当時どんどん小型化していたシンセサイザーだ。巨大産業文明を担う大電力というよりも、機動力のある小電力のイメージで語れる。エコロジーや反原発と矛盾しないかもしれない。電気のある豊かな文明生活と、スモールさやシンプルさやアジア性。相矛盾しかねないものにギリギリのところでフックを掛け、ライオンや山羊の複合した怪物、キメラのような、異種混合の均衡美を達成する。坂本の戦略だろう。やはり魅惑的。死せる坂本は生ける我らをますます走らせることでしょう。（2023/04/20）

Ⅵ　極東の「持たざる国」の処し方は——「いつか来た道」の幻影

名づけのナショナリズム

韓国に初めて出かけたのは1985（昭和60）年。学生の観光旅行だった。

ソウルの喫茶店でコーヒーを飲む。粉が浮いている。インスタントだった。百貨店に行く。棚がスカスカだ。通りで写真を撮る。「そっちの方角はダメ」。怒声が飛ぶ。スパイにされかけた。

朝、公園のベンチに座る。初老の男性が日本語で語りかけてくる。日本統治時代の話。「良いことも悪いこともあった。私は今でもとても複雑です」。そこからが本題と思いきや、彼は逃げるように消えた。狐につままれたような。

大統領は全斗煥。軍政期だった。冷戦の緊張があり、抑圧された民衆がいる。みんな、猛烈に我慢している。日本への気持ちも含めて。切々と感じた。

話は変わる。1942（昭和17）年1月。真珠湾攻撃から1か月。大本営海軍部報道課長の平出英夫大佐が述べた。勝利の暁には太平洋を「新日本海」と改めよう。

太平洋の命名者はマゼラン。なぜ、日本の東の海の名を、西洋人の付けた名で呼ばねばならないのか。幕末の尊皇攘夷思想を受け継いだ議論だった。たとえば、水戸の会沢正志斎は、アジアとかアフリカとか、西洋人の名づけた土地の名を使うことは、日本が西洋の奴隷になることだと断じた。

なぜなら命名権とはまさに権力だからだ。時が来たら、つまり日本が西洋に対して強く出られる力を得たら、名前は付け直されるべきだ。江戸時代に日本で作られた世界地図を見れば、太平洋の日本近海は、今日の東シナ海や南シナ海と同じ理屈で、「日本東海」や「大日本海」とよく名づけられていた。付けたい名を日本が世界に押し通せたときこそが日本の自立。正志斎のナショナリズムであった。

「大東亜戦争」の緒戦の勝利の時期、海軍は太平洋を「新日本海」にしたらと言いだし、シンガポールは陸軍主導で実際に「昭南島」と改称された。日本が西洋に抗せる立場になり、「名づけのナショナリズム」を発動させたということだ。短い夢だったが。

韓国に戻る。日本海を「東海」という韓国伝統の呼称へと国際的に改めたい。韓国政府が国連に問題提起したのは1992（平成4）年だ。軍人出身の盧泰愚から文民の金泳三に大統領が代わった年。ソ連崩壊の翌年。北との雪解けも進むと期待されていた。冷戦はもう終わり。韓国が反共産主義の防波堤として日本と運命共同体的にふるまう理由もなくなった。そう見えた。我慢から解放されていい。その時期のかの国の人々の気持ちであったろう。隣の海を名づけ直したくなるのも当然だった。

そこに、名づけを巡る他の日韓問題が絡んでゆく。竹島か、「独島」か。自発的に募集に応じた慰安婦や工員か、強制されての「性奴隷」や「徴用工」か。日本の哨戒機が韓国の駆逐艦にとった行動は通常の運用の範疇か、「威嚇」か。

日本としては正論で張り合っていれば済む話でもない。正論から零《こぼ》れる不条理が重大なのだから。長年の我慢をまだ吐き出せていないという民族的感情が相手なのだから。かつての近衛文麿首相のように「（蔣介石の）国民政府を相手とせず」と開き直るわけにもゆかない。付き合うべき隣国なのだから。

「大東亜共栄圏」に「昭南島」に「新日本海」。「名づけのナショナリズム」に壮大にしくじった日本ならではの、退くところは退き、退けないところは粘り腰の対話で柔らかくくるむ対応がありうると思う。『しくじり先生　俺みたいになるな!!』というテレビ番組がなぜか思い出される。令和の日本は東亜のしくじり先生になったらいい。（2019/07/04）

この国のかたちは対馬海峡で決まる

日清戦争は、両国が存亡を懸けた全面戦争ではなかった。簡単に言えば、朝鮮半島を巡る覇権争いである。戦勝国日本は、清朝の中国から台湾や賠償金を得た。だが、最大の戦果は、李氏朝鮮から清の影響力を排除したことだろう。

日露戦争は日清戦争が終わって9年後に始まった。ロシアは南下政策を進め、清に代わり李氏朝鮮に食い込んだ。日本が朝鮮半島への影響力を保つためには、ロシアを朝鮮とその後衛の南満洲から排除しなくてはならなかった。

日清・日露の両戦役の焦点は朝鮮問題であったと言ってよい。バルカン半島を巡り、ハプスブルクとオスマンの両帝国が何世紀も争ったことが思い出される。バルカン半島が自国寄りの緩衝地帯になってくれなければ、どちらの帝国も枕を高くして眠れなかった。

日本にとっての朝鮮半島も同じだろう。朝鮮が中露との緩衝地帯になってくれなければ、日本国家に安寧はない。

日清戦争の17年前には西南戦争があった。西郷隆盛は征韓論を説いて明治政府と決裂した。征韓論者は、日本の安泰のためには武力を用いても朝鮮を一刻も早く味方に付けようという立場。明治政府は征韓論に反対ではないが、急いては事を仕損じるという態度。すぐやるか、後でやるか。その差だった。

すると遡って江戸時代は？　徳川幕府は李氏朝鮮と仲良くしていた。朝鮮通信使が江戸を繰り返し訪れる。幕府外交の華であった。徳川将軍家は天下泰平の夢を安心して貪《むさぼ》れた。

逆に言うと、朝鮮半島全域が日本の敵に回るかに見えだすと、この国は途端に落ち着かなくなる。日本と百済の連合軍が新羅と唐の連合軍に白村江の戦いで敗れたのは663（天智2）年。日本には百済からの亡命者が流れ込み、国防の最前線は対馬や日本本土になった。防人が動員される。要塞が築かれる。政治権力も国粋派と国際派に分裂する。白村江の戦いから9年で壬申の乱が起きた。漢詩好きの近江朝廷の勢力が粉砕され、和歌好きの天武天皇の勢力が内向きの国家主義を固めてゆく。

そして元寇の時代。朝鮮半島の主、高麗王国が元朝の中国に服属して日本と敵対し、13世紀後半、元と高麗の連合軍は二度にわたって対馬や九州に攻め寄せる。鎌倉幕府は撃退には成功するものの、そのときとその後の国防負担が、幕府滅亡の要因となる。

さらに、豊臣秀吉の朝鮮出兵が秀吉の死とともに挫折したのは１５９８（慶長３）年。明朝の中国と李氏朝鮮の連合軍と戦っていた日本は、戦後処理も適当にして慌てて撤兵。海峡に緊張をはらんだまま、２年後には天下分け目の関ヶ原だ。

つまり、近江朝廷、鎌倉幕府、豊臣政権の滅亡は、日本が大陸に対する緩衝地帯を朝鮮半島に持てなくなったプレッシャーのせいと言えなくもない。

日露戦争後の日本は、朝鮮半島を併合し、地政学的には大いなる安心を得たかに見えた。が、１９４５（昭和20）年の敗戦。でも、そこで日本の対外緊張のフロントは対馬海峡に下がらなかった。朝鮮半島南部に親米国家が誕生し、戦後日本も親米化したので、共にアメリカを親とする兄弟国家になれた。その意味で日本は戦後も天下泰平であった。

しかし、フロントが久々に対馬海峡に下がる徴候が感じられなくもない時代がきた。日韓軍事情報包括保護協定の韓国側からの一方的破棄は、アメリカという親亀の凋落を表し、親亀がこけてくると子亀も仲違いしてくる。海峡の平和が保たれぬ可能性がある。

この国のかたちもまた大きく変わるのかもしれない。（2019/09/19）

地球祖国主義という妖怪と地球資本主義という亡霊

地球祖国主義という名の妖怪が世界を闊歩している。『共産党宣言』の冒頭を真似ると、現代世界をそう形容できるだろう。

マルクスとエンゲルスは「ひとりの妖怪がヨーロッパを歩き回っている。共産主義という名の妖怪が」と書いた。二人は共産主義者だから、ここでの妖怪に決して悪い意味はない。

『妖怪人間ベム』というテレビ・アニメがあった。主題歌が強烈だった。人に姿を見せられない獣のような身体であることが悲しいと歌い、「早く人間になりたい」と叫ぶ。妖怪は必ず人間になれる。未来への希望である。

『共産党宣言』の妖怪も同じだろう。共産主義は、今は妖怪だが、未来にスタンダードになる。そして妖怪は亡霊とは別物だ。亡霊はかつて人間だったもの。妖怪は未来形で、亡霊は昔にこだわって祟る過去形。「うらめしや」だ。

いや、地球祖国主義の話である。フランスの思想家、エドガール・モランが、ソ連崩壊直後に使いだした。人口が爆発。天然資源が使い尽くされ、環境汚染は広まる。それが人間に跳ね返る。一国では対処不能になる。その冷戦末期の大きな事例が、ソ連のチェルノブイリ原発事故だった。放射能汚染は北欧や西欧に及び、日本でもイタリアのパスタが輸入禁止になった。

平和共存が出来れば、独立国家はめいめい勝手をしていてよいという常識はもはや通じない。平時の経済活動に伴う環境破壊は、一国内の公害ではなく、地球に対する犯罪として、国際的にチェックされねばならない。

ちょうど、世界を分断した冷戦の壁も無くなった。人間個々が国民ではなく人類の一員との意識を持ち、地球の保全を第一義とする人類的政治を行う機が熟している。モランはそう考えた。

今日、地球祖国主義は、温暖化対策を進めなければ人類存続が危ういとの議論を膨ませながら、妖怪から人間への道を歩んでいる。２０１９年9月23日、国連気候行動サミットで、スウェーデンの16歳の環境保護活動家が、二酸化炭素排出量を即座に激減させねば、子供世代に未来はないと訴えた。未来形の妖怪と一心同体になれるのは、大人よりも子供ということが鮮烈に示された。

ブラジルのアマゾン流域での焼畑農業に伴う大規模森林火災をフランスのマクロン大統領が問題視し、ブラジルが消火できないなら内政干渉も辞さずとの態度を示したのも、記憶に新しい。もはや石炭や石油や森林をやたらと燃やす国家は、民族自決の権利を停止されかねない存在に転落しつつある。

が、地球祖国主義が世界の覇権を握るかというと、事はそう単純ではあるまい。人間は、滅亡のリスクを負っても、なお目先の利得を追うだろうから。地球祖国主義はもうひとつの地球主義と争い続けるに違いない。グローバリズムだ。地球を、制限なき欲望追求を土台とする自由経済で一元化しようとする主義だ。言わば地球資本主義だ。

しかも地球祖国主義は、民主主義の熟議の手続きとも相いれない。何年以内に二酸化炭素を何割削減しないと人類滅亡の危機。地球祖国主義の論法は、有無を言わさず日限を切る非常時の論法だ。緊急独裁的な世界政治体制を布かなくては目標を貫徹できまい。

地球祖国主義はインターナショナルな共産主義に似ている。なかなかトロツキー的だ。地球祖国主義から見れば過去の遺物でしかない欲望追求型の資本主義を粉砕し、世界独裁に至らなくては、地球祖国主義のヴィジョンは達成不能なのだ。２０２０年代は妖怪対亡霊の一大決戦場となるだろう。(2019/10/24)

２０２０年代大予言！

２０２０年は〝ロボット誕生１００年〟だ。１９２０年、チェコスロバキアの作家、カレル・チャペックが『Ｒ・Ｕ・Ｒ』という戯曲を発表した。『ロボット』とも呼ばれる。題名の三つのアルファベットは、「ロッサム・ユニヴァーサル・ロボッツ」という、いかにもアメリカ的な架空の大企業の略称である。

ロボットとは、この戯曲での新造語。発案者は、作者本人でなく、兄の画家のヨゼフ・チャペックだ。チェコ語で苦役を意味するロボタが語源だ。人間にとっての労働は、とどのつまり、すべて苦役。人間のロボタの代わりを務める者の名は、ロボットがいい。

戯曲は世界各地で上演され、ロボットはたちまち国際語になった。しかし、『Ｒ・Ｕ・Ｒ』で描かれた元祖ロボットは、よくある金属製のイメージとは違う。人工の血や肉で出来た人造人間。しかも、今日のＡＩ（人工知能）を先取りするかのように、学習能力を持つ。知的労働から肉体労働までをこなす。

巨大企業のＲ・Ｕ・Ｒはロボットを独占的に大量生産し、生身の人間は職を失う。けれどロボットに労賃は要らない。あらゆる便益が安価に豊富に提供されるようになる。人類はロボタから解放された。ユートピアが来た！

と思ったら、そこに過誤があった。ロボットはすべてを数字で考える。労働から免れて遊びしかせぬ人間は、もはや用なしではないか。人類はロボットに粛清される。利益を生まない弱者や貧者は単なる役立たずにすぎない。

同じ1920年、ソ連の作家、エウゲニ・ザミャーチンが長編小説を書き始めた。完成は翌年。『われら』という。

遠い未来、人類は究極的に管理されている。人間は番号で呼ばれ、建物はガラス張り。何もかも撮影され、秘密の保持は不可能。仕事から性的快楽まで、すべて国家の計画通りに与えられる。生き方も欲望も、本人たちに個性があるつもりでも、想定内に収められ、想定外の「われ」は修正される。かくて、その世界に存在するのは、「われら」という一枚岩の人間だけなのだ。

実は、チャペックの『R・U・R』にも、「集団劇」という但し書きが付く。ロボットは数字に基づく合理的思考しかできないので、結局みんな一様だ。だから、ロボットに「われ」はいない。「われら」という集団しかいない。

はて、どうして1920年に「われら」が問題とされたのか。3年前にロシア革命が起きた。2年前には第一次世界大戦が、アメリカの圧倒的富を見せつけて終わった。世界で新しく強力に見えていたのは、米ソの2国だった。

アメリカは資本主義。ソ連は社会主義。水と油とも思える。が、チャペックとザミャーチンに、米ソは近いものと映っていた。共に歴史を完成させ、ユートピアを実現するつもりになっている。アメリカでは大企業が、ソ連では共産党が、人々の夢も希望も生活も、鋳型にはめようとしている。究極の資本主義と究極の社会主義は似ているのだ。ロボット化した「われら」以外を不要と思う点で。

それから100年。アメリカのIT企業は世界をデータベース化して人類全員を管理する勢いだ。ソ連の代わりは中国が率先して務め、ガラス張りの社会を日々実現している。監視カメラから電子マネーまでを使って。そして、本物のAI化とロボット化が、生身の人間を余計者扱いしだしている。

『R・U・R』と『われら』の予見した未来は2020年代のうちに完成するのではないか。正月の読書はチャペックとザミャーチンで決まりだ。（2020/01/02）

インド人よ、来たれ！

明治、大正、昭和、平成、令和。日本の近現代は五つめの時代を迎えている。元号で数えるとそうだ。しかし、歴史の中身で観れば、別の区切り方は幾らもある。

たとえば外交から切ってみる。第1の時代はパートナー模索期だろう。慌てて文明開化をはかっても、極東の島国が、弱肉強食の帝国主義時代に、いきなり独立独行できるとは思われない。仲間が要る。とはいえ、西洋列強とは不平等条約下でのつきあいだ。対等の同盟など夢のまた夢。隣国の李氏朝鮮しか候補は見当たらない。ところが、李氏朝鮮は清朝の中国ばかりを向いている。そうはさせじ。征韓論から日清戦争までの国際関係史ができあがる。

日清戦争の結果、中国は朝鮮半島から下がる。が、代わりにロシアが半島に手を伸ばす。日本には強敵すぎる。そのとき、アジアに多くの利権や植民地を持つイギリスが日本に近づく。ロシアのアジア進出を阻むのは、日英両国の利益。かくて第2の時代は日英同盟期になる。1902（明治35）年から23（大正12）年まで。おかげで日本は日露戦争や第一次世界大戦を乗り切れた。

ところが、第一次世界大戦後の世界にはアメリカがのしてくる。日英同盟だけでは安定が保てない。第3の時代が訪れる。国際協調期だ。日本は、特定国との同盟関係に頼らず、英仏米ソのそれぞれと、うまくやろうとする。平和維持の要は貿易の促進だ。

でも、この時代は短かった。1929（昭和4）年からの世界大恐慌で、協調の意味が減じる。国際的連鎖倒産劇に巻き込まれるのは御免だ。よそとは付き合わないのが吉。第4の時代に入ってゆく。日満経済ブロック、日満支経済ブロックと、面積はだんだん広がる。東亜協同体から大東亜共栄圏へと、言葉も大げさになる。日本はアジアの覇権を握ることに国家の命運を賭ける。日独伊三国同盟も日ソ中立条約も、そのための方便にすぎない。要はよその入れない日本の生存圏の確立だ。ニッポン・ファーストの時代だ。失敗に終わる。

そして第5の時代へ。日米同盟期だ。敗戦から数えると、2020（令和2）年で、ついに75年にもなる。超大国の懐に飛び込み、長い安定を保ってこられた。けれど、そろそろ賞味期限かも。トランプ大統領を見ていると、そう思う。

すると令和には第6の時代に向かうかもしれない。第3の時代の再現を計り、複雑な舵取りをして、多国間等距離外交を目指す手もあろう。あるいは、相手を間違えると亡国だが、アメリカの代わりを探す手もある。そのとき、たとえば中国やロシアや韓国は、相互的信頼感を長く抱き合う相手としては厳しそうだ。何だか近すぎるし、歴史的な負の因縁もありすぎる。それから、現実的に考えれば、安全保障上のパートナーは核保有国の方がよいだろう。

ここで、遠く離れた日英両国がロシアの過剰な拡大を恐れて同盟し、案外有効に長持ちした故事を思い出すと、同盟相手は自ずと絞られてくるのではないか。中国の過剰な拡大を警戒する立場にあり、核武装し、経済成長は著しく、日本との負の因縁もあまりなく、適度な距離感のある国といったら？

アジア主義者、大川周明は、A級戦犯となった東京裁判の法廷で、「インド人よ来たれ」と謎の台詞をドイツ語で叫び、正気でないと認定された。そのフレーズが何やら予言的なものとして思い出される。そういえば、インド人の高僧、菩提僊那《ぼだいせんな》は、万葉時代の平城京に住み、日印の架け橋となったのだった。『万葉集』に因む令和の御世は日印同盟にかぎる。初夢の妄想です。（2020/01/16）

アメリカの壁

太平洋戦争の引き金を引いたのは、アメリカの対日石油禁輸だろう。日本はアメリカの石油なくして軍艦も飛行機も動かせない。ところが日本は妙に強気だった。1931（昭和6）年の満洲事変以来、東アジアに閉鎖的な経済圏を作ろうとした。欧米の資本抜きでやろうとした。

世界大恐慌の始まりは29年。アメリカはどん底の経済を対外投資で立て直したい。中国大陸に執心する。しかし日本は満蒙を「我が国の生命線」と呼び、アメリカの進出を阻む。アメリカの伝統的孤立主義の呼び名をなぞり、アジア・モンロー主義を掲げる。

だが、この話、何だかおかしい。石油の一滴は血の一滴。戦時下の標語である。石炭から石油へ。時代は急激にシフトしていた。大国が閉鎖的な経済圏を作るなら、そこには大油田が絶対に要る。なのに、日本は大油田なき範囲に排他的経済圏を設定し、石油の売り主と緊張を高める。自殺行為だろう。

もちろん当時の日本がそんな簡単な理屈を分からぬはずはない。実は、満洲で石油ないしその代用品を賄えないかと、期待していた時期があった。

具体的にはまず油頁岩、つまりオイルシェール、石油を含む岩である。満洲の撫順の大炭田には、油頁岩もある。埋蔵量は50億トン以上と推定された。撫順の油頁岩は最良質ではない。が、それでも石油含有量は平均5％強。2億5000万トン以上の石油が眠る勘定になる。日中戦争前期の日本では総需要の何十年分かになったろう。それからもう一手は石炭の液化だ。石炭は日満にも豊富だ。これを石油の代用品にできれば怖いものなし！

けれど、油頁岩からの石油の抽出も、石炭液化も、難技術かつ高コスト。捕らぬ狸の皮算用。石油の対米依存から脱却できない。向こうは日本に売らなくても困らない。アメリカ優位で外交をやられ、開戦に追い込まれた。

さて、アメリカのその後である。世界的産油国も、第二次世界大戦の特需を呼び水とする飛躍的経済成長のせいで、石油が足りなくなった。石油輸出国から輸入国に転じた。あまり縁のなかった中東への関与を深め、サウジアラビアやパーレビ国王時代のイランを親米国に仕立てた。対ソ戦略もあるけれど、やはり石油目当てである。

しかるに2019（令和元）年9月、月間統計で70年ぶりに、アメリカは原油純輸出国に戻った。北米大陸に眠る膨大な油頁岩からの石油抽出技術を高めてきたせいだろう。日本が満洲で果たせなかった夢を、アメリカは達成した。

結果、何が起きるか。アメリカの中東政策は、国家の生き死にを賭けたシリアスなものから、たとえば大統領選挙向けの一種の火遊びに転換するのだ。拙くなったら中東から撤退し、モンロー主義に回帰しても油は足りている！

アメリカは旧大陸から逃げ出した人々の作った国だ。よそと関わらず引きこもっているのがいちばん。彼の国の根っこに相変わらずある欲望だ。

小松左京に『アメリカの壁』という傑作がある。食糧もエネルギーも自給自足できるアメリカが、太平洋と大西洋に物理的な壁を作って鎖国する物語である。「メキシコの壁」だけではすまない世界がもうかなり進行しているのではないか。「アメリカの壁」の外に取り残されないように注意しましょう。（2020/02/06）

合従か、連衡か、それが問題だ！

蘇秦居らずんば我が国は危うい。そんな時代がついに来つつあるように思う。

米国はいつまで頼みになるか。民主主義国家が総力を発揮するには、国民の幅広な合意が必要だ。どう転ぼうと大統領選挙の結果を承認し、互いが互いを称え合う余裕を持ち、非常時には星条旗の下に団結する。それができていた米国は強かった。が、今や国民の一体性は崩れ、満足なコミュニケーションすら成立しない。米国の経済と軍事は依然として強大だが、それに見合った政治力・外交力を、民意の分裂した民主主義国家が生み出せはすまい。

近代日本の夜明けはペリー提督率いる米艦隊の浦賀来航に始まった。1853（嘉永6）年のこと。日米間に和親条約と修好通商条約が結ばれ、両国関係が幕末史の肝と思ったら、米国は一旦引っ込む。日本どころでなくなったのだ。農場で奴隷を働かせ安価な農産品を輸出して食うか、工場労働者を増やし工業製品を輸出して食うかで国民が分裂、1861（文久元）年から足掛け5年の長期の大内戦になり、約60万の死者を出した。

　また似たことが起きるかもしれない。そのときアジア全域に遠慮会釈なく覇権を及ぼそうとする超大国はどこか。中国である。日米同盟が弱るとしたら日本の安全保障はどうなるか。

　古代中国の戦国時代を思い出そう。七つの国が群雄割拠していた。戦国の七雄と呼ばれた。秦と斉と燕と趙と魏と韓と楚だ。七雄と言っても内陸の秦が圧倒的に強大。残る六雄はどうするか。合従策か連衡策かの二択にならざるを得ない。合従とは秦に対して六雄が結んで均衡を取る策。連衡とは大国に抗しようとはせず、秦と結んでおのれだけ生き残ろうとする策。今日で言えば、対中大同盟か日中同盟かである。

　だが日中同盟は悪手ではないか。中国は中華思想の国だから中国と言う。烈々たる専制権力と広大な国土と莫大な人口と富によって、周辺を華やかなる中原に同化させる。香港を観よ！　それを止める力なき世界の現実を観よ！　それでも敢えて連衡して香港の道を歩むのをよしとするか。そんな自尊心なき独立国家はとっととくたばってしまえ。残る道は合従しかあるまい。

　中国と戦争しようというのではない。均衡を保ったうえで仲良く共存したいだけだ。

そのために役立つ既存の仕掛けは環太平洋パートナーシップ協定、いわゆるＴＰＰだろうか。日本、オーストラリア、ブルネイ、カナダ、チリ、マレーシア、メキシコ、ニュージーランド、ペルー、シンガポール、ベトナムが参加する。ＴＰＰは各国が中国経済に呑みこまれないための経済同盟としての性格をもともと帯びてもいる。そして経済同盟とは、ソ連の脅威に対抗した西欧の欧州経済共同体が北大西洋条約機構という軍事同盟を伴ったのと同じく、物理力の裏打ちがなければ、本来安定しない。とはいえ、ＴＰＰ加盟国だけでは十分な対中同盟にはなるまい。韓国や台湾やフィリピンやインドネシアやインド等も加わってほしい。

蘇秦のような大人物よ、我が国に出でよ。蘇秦は対秦6か国同盟を実現して一時的にも七雄の均衡を実現したとされる外交家。合従策は結局連衡策に破られ、六雄はやがて秦に滅ぼされはするのだが。合従も地獄、連衡も地獄なら、対中大同盟の虚妄に賭けます！（2020/12/03）

帝国の滅び方――アメリカ合衆国の巻

帝国には終わりがある。ここで言う帝国とは、広汎な領土と多数の民族を纏めて、極めて人工的に作られた巨大国家のこと。その意味では、ローマ帝国も中国も米国も等しく一種の帝国だろう。

中国は王朝単位で考えれば古代から幾度も滅びてきた。唐は289年間、明は276年、清は268年で終わった。その位が帝国の寿命の目安かもしれぬ。

さて、人工国家の帝国には全体を束ねるイデオロギーが要る。中国は中華思想、米国なら自由主義だ。かの自由の女神の台座に何と刻まれているか。「あなたの国の疲れ貧しく自由に飢えたる者を私に委ねなさい」。世界中から移民を招き入れ、自由の野に放って自己実現を競わせ、その活力で帝国は富む。

そんな米国を象徴する言葉がメルティング・ポット。人種の坩堝《るつぼ》と意訳される。坩堝だから、多民族・多文化の共生をよしとしない。沸騰する坩堝の中で、皆が出自も肌の色も超克し、同じ米国民として未来の成功を夢見て競い合う。そう、米国人を米国人たらしめてきたのは未来志向だ。移民は祖国が辛くて逃れてきた。過去を振り返りたくない。正真正銘の新世界人になりたい。そのための最大の要件にして帝国を究極的に統合するのは英語だ。英語がよく出来るとよく稼げる。アメリカン・ドリームが実現する。だが米国史とて最初からそううまく運んだわけではない。移民が押し寄せれば自動的に繁栄するなんてうまい話はない。先進地域の欧州と経済で勝負するには最初に強引な元手の形成をせねばならない。そこで黒人奴隷を搾取した。無茶の限りを尽くした。リンカーン大統領が奴隷解放を宣言したのは1863年。独立宣言の87年後だった。

そのあとこそが自由の女神に象徴される米国の長い黄金期。しかしやがて黄昏へ。転機は1977年だろうか。その年『ルーツ（祖先）』という連続テレビ・ドラマが米国で驚異的高視聴率を得た。西アフリカで捕まり米国で奴隷にされた誇り高き黒人のファミリー・ヒストリー。米国の黒人をアフリカン・アメリカンと呼ぶ文化運動にも繋がった。そのとき歴史が動いた。坩堝からルーツへ。未来よりも過去へ。一枚岩の米国から多民族・多文化主義へ。新世界より祖先の土地へ。米国人が米国人でなくなりだした。そこには1980年前後からの米国が人々に未来を夢見させる自由の旨味を失くしていったことが関係しよう。希望が陰れば郷愁が擡頭《たいとう》する。過去に辛い物語が秘められていたとしても。

それから間もなくして、英語による統合も弱まりだす。スペイン語ばかりを話すラテン・アメリカからの不法移民を低賃金で働かせてこそ老大国の経済も回るのだが、不法移民の数が増えるほど帝国の一体感は衰える。これぞ死に至る病。トランプ大統領の「メキシコの壁」建設は、恐らく最後の無駄な抵抗であった。

独立宣言から奴隷解放宣言までの離陸期と、『ルーツ』から帝国の終焉までの下降期を同じ87年と仮定すれば、１９７７年から87年後は２０６４年。米国の歴史の長さは唐より1年短くなる。

いや、そんなことはないか。オスマン帝国は没落期からがしぶとくて結局６２３年も続いたのだっけ。こりゃまた失礼しました。（2020/12/24）

超近代国家のパンとサーカス——中国共産党100年に寄せて

世界史上最強の政党は、1921年に誕生し、今年創立100周年を迎える中国共産党ではないか。結党28年後に中華人民共和国を建て、以来72年、世界最多の人口を有する巨大国家を一党独裁で統治し破綻がない。人類の驚異だ。

もちろんその歩みには幾度もの危機があった。80年代には西側と東側の市民生活のあいだに経済的格差が顕著になった。東側の民衆が隣の芝生に憧れれば体制崩壊につながる。そのとき、中国共産党を代表する鄧小平は先富論を唱えた。富める者から先に富め。世界が驚いた。人民の経済的平等の実現を放棄するのか。社会主義を諦めるのか。一党独裁の終わりは近い。そう予想した識者も多かった。

でも、そんな見方は甘かった。先富論は社会主義を生き残らせる最高の方便だったようだ。貧しい中で幾ら財を分け合っても、貧者の不幸な社会主義にすぎない。隣の芝生の青さは変わらない。国全体として一刻も早く富まねばならない。ならば方便としての自由経済もやむを得ず。人民は欲望を掻き立てられ、よく働くだろう。国民一人当たりの富が西側に匹敵するところまで来たら、社会主義的再分配を積極的に行えばよい。そこに辿りつくまで方便を保てるか。中国共産党の壮大な実験は曲芸的に持続している。

近代世界の常識からすればありえない！　人民に経済的自由を与えれば、政治的・社会的要求も多様化する。複数政党制による民主的議会政治が洩れなく付いてくる。ところが中国は常識を超えた。清朝崩壊から内戦や日中戦争を経て中華人民共和国の成立へ。皇帝独裁の前近代から一党独裁の超近代へ。議会政治を伴う普通の近代が無い！　しかし無ければ無いで済む場合もあるらしい。経済的自由が貧困層から富裕層への飛躍を可能にしてくれるという飴がぶら下がっていれば、政治的不自由の鞭に耐えられるものなのか。

でも、近代民主主義を未体験の中国民衆にも、政治について絶対に許せぬ事柄が伝統的にひとつある。政治腐敗だ。巨大国家を地方末端まで中央集権で統治しようとすれば、行政機構は複雑怪奇に膨満し、コストも嵩む。中央はその面倒を見きれず、官僚らは勝手な集金を始める。そうせぬと仕事に見合った収入を得られない。かくて賄賂が横行。中国史を貫く当たり前である。

さて、そこで最高指導者になった習近平が何を始めたか。反腐敗闘争だ。腐敗していない行政官が居ないと言ってよい国で、本気で建前通りに腐敗を根絶しようとすれば、皆が粛清の対象になるか、悪い証拠を握られてイエス・マンになるか。おまけに民衆は権力を笠に着た悪人たちの粛清劇に大喝采。先富論というパンと反腐敗闘争というサーカスのセットが出来上がる。しかも、迷宮性と腐敗臭を免れなかった巨大行政機構は、人工知能を利用した監視システムの徹底導入によって、革命的に安価に透明に効率化しつつある。

中国共産党は、富者の幸福な社会主義という究極のユートピアと、完璧なる一党独裁のもとでの人民管理という極限のディストピアを表裏一体とした超近代へと、今日もひた走る。

じり貧の資本主義と混迷する政党政治の国に生きる当方ではありますが、羨望の念を抱いてはおりません。(2021/03/25)

勝つ前に勝った証を立てようとした山田耕筰の話

『赤とんぼ』に『この道』に『からたちの花』。歌曲に童謡。山田耕筰の本領だ。が、それだけではない。日本人初の交響曲も、日本人初のグランド・オペラも山田が作曲した。オペラの名は『黒船』。1940（昭和15）年11月、東京宝塚劇場で、藤原義江や杉村春子が出演して初演された。時は幕末。伊豆の下田の乙女の心は、優しい性根の米国領事と激しい気質の攘夷派の志士との間で千々に乱れる。ヒロインの苦しみは、戦争か平和かと悩む当時の日本とダブった。グルー駐日米国大使は2回も鑑賞した。オペラに日本人の本音を聴こうとした。

『黒船』初演の1年後、日米戦争が始まる。その頃、山田は次のグランド・オペラの題材を探していた。日本は世界戦争に訴えアジアを統一しようとしている。時代は大アジアだ。大陸物の雄大なオペラこそが望まれている！

日米開戦の翌年、山田は北京で講演し、日中親善の証としての新作オペラの大構想をぶち上げた。その名を『香妃《こうひ》』という。舞台は清代の中国。第6代皇帝の乾隆帝《けんりゅうてい》は、カシュガルの王の妃が香気漂う絶世の美女と聞き、王を殺して彼女を略奪。が、美女は皇帝に靡《なび》かず殺意さえ抱き、大騒動へ。これぞ諸民族入り乱れる大陸大ロマン！

でもこの物語には日本人が出てこない。日中親善だというのにそれでいいのか。いいのだ。なぜなら歌劇『香妃』の言語は、中国語でも満洲語でもなく、大東亜共栄圏の共通語になる予定の日本語なのだから。

そう、赤裸々な言い方をすれば、『香妃』は戦勝と大東亜共栄圏確立を記念する大歌劇として準備された。１９３７（昭和12）年からずっと日中戦争。蔣介石の重慶政府はしぶとい。米英の後ろ盾があるからだ。その米英と日本はついに直接戦争を始めた。必ず打ち勝つ。重慶政府も、毛沢東の中国共産党も滅びるだろう。日本と共に勝ち残るのは、親日政権である汪兆銘の南京政府や満洲国だ。日満支の連携を中核とする大東亜共栄圏が完成する。その輝ける日に、日本語がアジアの支配言語となる証として、日本語のグランド・オペラを北京で上演せねばならない。中国人歌手も日本語を歌う！　戦争の陶酔の生んだひとつの楽天的幻想であった。

とにかく山田は『香妃』に打ち込んだ。しかし、歌とピアノ伴奏の譜面が完成したときは敗戦から2年も経っていた。『香妃』は歴史から浮いた。しかも山田は戦争協力者だと弾劾され、そのストレスのせいか、脳溢血で半身不随に。グランド・オペラだからピアノ伴奏をオーケストラに編曲する膨大な作業がまだ残されていたのだが、それができない。後事は弟子筋の團伊玖磨に託され、『香妃』の完全上演は戦後36年、山田没後16年の81（昭和56）年になり、その後はまたほぼ埋もれっぱなしだ。

念のため申せば、『香妃』は山田の歌のエッセンスが詰まった傑作である。ところが、打ち勝つ前に打ち勝った証を残そうとした無理が祟って、日本が打ち勝てなかった悲しい証と化し、人が触れたがらなくなってしまった。

功を焦ればこんなもので、今度の五輪もそんなものかもしれない。しかし、捨てる神あれば拾う神あり。『香妃』で中国の独裁皇帝を倒そうとする絶世の美女とはウイグル人なのだ。誰か上演したくなってきませんか？（2021/04/15）

日本・ハワイ安全保障条約の幻

明治14（1881）年3月4日。横浜港にハワイの国王、カラカウアがやってきた。近代日本が初めて迎える国家元首である。もてなし役には、英国に留学し、英語に堪能な東伏見宮嘉彰《よしあき》親王が任じられた。ハワイ王一行は横浜の伊勢山の御用邸で1泊。翌日、鉄道で新橋停車場へ。ただちに皇居で明治天皇と会談した。日本の天皇が外国の王と対面したのは有史以来、このときが初めてかもしれない。

カラカウアは何をしに来たのか。物見遊山ではない。交渉事があった。ハワイへの移民を日本の国策としてもらえないか。明治天皇はそれを諒とした。

そのとき外務卿の井上馨が提案した。王はすぐに日本を去るというが、折角の機会だ。滞在を延ばしてもらい、日比谷の練兵場で観兵式を挙行しよう。カラカウアと井上の間に密約が出来ていたと思われる。

観兵式は来日5日目の8日に行われた。この日は雪も降る寒さ。ハワイの人には辛い。でも、カラカウアは、東洋の国にも近代的な軍隊が存在することを目の当たりにして感動したらしい。内に秘めたる大外交構想を首脳会談によって是非とも実現したい。そう決意を固めたようである。

3月11日。カラカウアは皇居を再訪した。天皇と王。通訳は英国留学経験のある井上。3人だけの秘密会談である。カラカウアは本心を打ち明ける。わがハワイは米国に侵食されつつある。西洋人の齎《もたら》した疫病のせいでハワイ人は激減。米国からの移民が闊歩し、砂糖栽培で儲け、政治にも介入。この調子では早晩、植民地にされる。いまだ独立を保つ東洋の国々も、ハワイと同じ運命を辿るのではないか。

カラカウアは天皇に訴える。東洋諸国の大同盟を作ろう！　盟主は日本だ。港に鉄道、帝都の威容、そしてこの目で見た近代軍！　極東の島国の文明開化は本物だった。日本を中心に東洋諸国が足並みを揃えれば、西洋諸国をはねかえせる。カラカウアはこの後、清朝の中国、タイ、ビルマ、ペルシャ等を歴訪するという。日本さえその気ならば、大同盟を説いて回るという。ハワイにとっても最後のチャンスかもしれない。日本からの移民が大勢欲しいのも、増殖する白人の移民に対抗してもらいたいからなのだ。

同盟実現のためには、天皇に臣下の礼を取る。そこまで、カラカウアは言った。今日流に表現すれば、日布安全保障条約（ハワイは布哇と書いた）の締結によって、米国の太平洋への野望を挫こうというのである。一所懸命に通訳していた井上にも、そういう色気が多少はあったのだろう。

そこでカラカウアは大胆な提案を付け加えた。彼は、接待役の嘉彰親王に、甥で海軍軍人の山階宮定麿王《やましなのみやさだまろ》を紹介されたという。素晴らしい青年だ。姪を嫁として差し上げたい。日布王室間の国際結婚は西洋への反撃の烽火《のろし》になる。

明治天皇も、岩倉具視や伊藤博文や大隈重信も困った。大東洋同盟など絵に描いた餅。清は李氏朝鮮の帰趨を巡って日本に極めて敵対的なのだ。大陸と半島のことでわが国は飽和している。内政も落ち着かない。西南戦争からまだ4年。議会開設問題は？　憲法制定は？　太平洋のことまで考えられない。日本はハワイの提案を、移民の件以外はすべて斥《しりぞ》けた。カラカウアの志は実らなかった。

ハワイが米国に併合されたのはそれから17年後。日本が日露戦争の勝利で一息つき、太平洋にまで気が回るようになったとき、すでにそこはかなり米国の海だった。この12月8日で、真珠湾攻撃から80年。「遅かりし由良之助」じゃなかった、「早かりしカラカウア」の一席でございました。（2021/12/09）

〝帝国海軍最低標準〟と〝必要最小限度の自衛力〟

必要最小限の自衛力とは？　その議論は戦後の自衛隊と共に始まったわけではない。日露戦後5年の1910（明治43）年のこと。当時海軍大佐、後に中将となる佐藤鉄太郎は『帝国国防史論』を著した。肝心要は「帝国海軍最低標準」なる章。我が国に必要最小限の海軍力を検討する。

実は1907（明治40）年に陸海軍は「帝国国防方針」を策定していた。日露戦後の仮想敵国はどこか。陸軍は相変わらずロシア。日露戦争で勝ったと言っても、南満洲から退かせただけ。きっと反撃してくる。第二次日露戦争が起こる。陸軍の確信だった。けれど海軍は日米戦争を思った。米国は日清・日露の戦間期の頃から太平洋への強い野心を育てている。ハワイを併合。フィリピンを獲得。大海軍の建設にも余念がない。日米はぶつかりうる。が、我が軍が米国に攻め込むとは想像を絶する。国力が違い過ぎる。でも逆はありうる。ならば、迫り来る米国艦隊を日本近海で撃退しうるギリギリが、国防のための最低標準戦力だ。その数字を割り出そうとする企てとして『帝国国防史論』

は読める。

そこで佐藤が参照するのはやはり日露戦争だ。日本海軍はロシア本土まで出張って行けなかったが、日本近海で敵艦隊を殲滅できた。すると、そのときの日露海軍の総合戦力比は？　佐藤は、全艦艇の総排水量などという単純な物差しでなく、艦艇いちいちの火力や速度や老朽度等を細かく数値化し、各国海軍の実力を点数にして測る、独自の手法を編み出した。その計算によれば、日露戦時の日本海軍は１４２点で、ロシア海軍は１９８点。対露７割で勝てたことになる。そして佐藤は、10年先の１９２０（大正９）年の米国海軍の実力を、かの国の建艦計画の動向から、１１００点と予想する。対米も７割でゆけるとすれば、10年後の日本海軍は最低７７０点ほどの実力を有さねばなるまい。

そもそも日露戦争で７割海軍がなぜ勝てたのか。佐藤は説明する。ロシアは地理的必然から海軍をバルト海と黒海と太平洋に分けねばならない。海同士は遠く隔たり、艦隊は切り離される。連合できぬ。しかるに我が海軍は、千島や樺太から台湾までの防衛域があるとはいえ、いざというときには全艦隊を結集させられる。連合艦隊である。劣勢挽回が可能になった。米国はというと、ロシアとダブる。大西洋と太平洋に艦隊を二分せねばならない。だから、対露戦争同様、７割海軍ならば、米国にもきっと勝ち目あり！

第一次世界大戦後に開かれたワシントンとロンドンの海軍軍縮会議では、対米7割を絶対とする海軍強硬派が、対米6割で妥協を図る政府や海軍穏健派と争った。国論を分裂させる大騒ぎになった。佐藤が広めた言わば〝7割教〟が海軍部内にどれほど浸透していたかを示しているだろう。

しかし、日本経済からすれば対米6割でも荷が重すぎた。最低標準と言えば聞こえはいいが、軍縮条約もなくなり、相手の建艦計画が法外に膨らむと、最低にも手が届きそうになくなった。艦隊増強が追いつかぬなら、敵基地先制攻撃能力を含む航空戦力の充実で！　山本五十六らはそう念じたが、飛行機の生産競争でも派手に負け、亡国に至った。

戦後の日本はかつての敵、米国と安保条約を結んだ。最低標準を本当にミニマムにしておける幸福な時代に長く身を浸せた。ところが経済力が陰ってきたというのに、必要最小限の自衛措置の中に、ついに敵基地攻撃能力を加えるご時世に。帝国陸海軍に優るとも劣らぬ悲壮感が漂ってくる。必要最小限なる底なし沼のような言葉に深く惑わされる時代がまたもきた。対中何割なら勝てるのでしょうか。（2023/01/05）

蔣介石の大予言？——政治が7分で軍事が3分

ケネディ大統領は困っていた。蔣介石率いる中華民国が、大陸反攻の好機が訪れたから攻撃的武器を供与してくれと要求してくる。主には爆撃機や揚陸艇。1961（昭和36）年の秋頃から翌年の春頃にかけてのことだ。

確かに好機ではあったろう。中華人民共和国では、超特急で産業構造を転換すべく、毛沢東の主導した大躍進政策が、裏目に出ていた。大河が餓死者で覆われて水面が見えないとの報道も、西側ではなされた。中華人民共和国は崩壊する！　大陸ウォッチャーはいつものように煽った。

そもそもなぜ大躍進政策だったのか。蔣介石は、ケネディの前任者、アイゼンハワー大統領の時代に、米国との軍事的関係を強めていた。そのまた前のトルーマン大統領は、中華民国の大陸反攻が第三次世界大戦の引き金を引かないかと警戒し、台湾防衛に専念して日韓と反共防波堤を形成してくれていればそれでよいという立場だったのに、アイゼンハワーは反攻に手を貸しそうな振る舞い方もした。

毛沢東は脅えた。対抗策の決定打はやはり核兵器だろう。ソ連に供与を求めた。が、フルシチョフは米ソ平和共存路線を打ち出しており、アジアに緊張の種を蒔きたくはない。中ソ対立が惹起された。毛沢東は大躍進政策を始め、農工両方の高度成長を策した。そこに秘められた目的は自力核武装であったろう。そうしたら大陸に大混乱が生じた。

さて、ケネディは蔣介石にどう答えたか。キューバ危機は1962年の秋。そこと重なればまた違ったかもしれない。だが、まだ微妙に前だった。中ソ対立といっても、米国が大陸に干渉すればソ連がどう動くかは分からない。滅亡戦争を呼びかねない。ケネディは蔣介石を抑えた。

その2年後の1964年の秋、中華人民共和国はついに核実験に成功した。中華民国としては、大陸から飛来する核搭載爆撃機の迎撃能力と敵基地攻撃能力の充実をさせたい。またも米国頼みになる。けれど難しい。大陸の最終目的は台湾の破壊でなく支配なのだから、まさか核攻撃はすまい。そう思って安心することにした。1966年に大陸では文化大革命が始まったが、中華民国では先の大躍進失敗期ほどの反攻の好機とはみなされなかった。相手は核武装国だし、通常軍備も向上している。実力に差がついてきていた。

1967年、中華民国は大陸反攻の具体的イメージを修正し始めた。「政治7分・軍事3分」と説くようになった。それはもともと1933年に蔣介石が唱えた。国民党が共産党に勝つには、戦闘よりも政治工作が重要との意だ。中華民国の60万程度の軍隊で、米国の積極的協力も望めぬ中、大陸を奪還するのには無理がある。ならば、政治工作員を広く深く浸透させ、大陸人民を煽動し、反共革命を起こさせるしかない。もしもそうなれば革命を助けに行く。他にやりようがない。蔣介石の見果てぬ夢は、最後にはそこまでトーン・ダウンしていた。

それから半世紀以上。攻守所を変えているが、「政治7分・軍事3分論」はますます有効に思える。大陸が台湾に手出しをし、破壊をなるたけ少なく事を終わらせられるか否かは、やはり台湾内部の政治情勢に懸かるだろう。ストレートに言えば今後の種々の選挙の結果だ。親大陸派と独立堅持派のバランスがどうなるか。人民解放軍が台湾の多数の親大陸派の人民を解放しに行く大義名分が立つか否か。立たなければ拳を振り下ろしても、後が絶対にうまくない。あくまで政治を主、軍事を従として、台湾を濃やかに見ていかないと、わが国も為すべきことを間違えるでしょう。(2023/02/09)

スイス沈没？

ヒトラーはなぜスイスに攻め入らなかったか。もしもかの国を支配できれば、盟邦イタリアとの軍隊や物資の往来にとても都合が良かった。スイス経由で対仏侵攻もできた。でも手を出さなかった。中立国だったから？　確かにスイスは、ポスト・ナポレオン時代の欧州秩序を決した１８１５年のウィーン議定書で、永世中立国としての地位を獲得した。しかし、ベルギーも１８３０年代に、ルクセンブルクも１８６０年代に、同様の立場を諸国から認められている。けれど、両国とも二度の世界大戦でドイツに蹂躙された。永世中立を宣言しても戦争はよけてくれぬこともある。

スイスはどこが違ったか。英国の指導者、チャーチルは、登山家の台詞のように、そこに山があるからだとか言った。だが、スイスとて全部をアルプスに囲まれてはいない。ドイツ南部から大軍を入れれば、山に阻まれずにスイス北部のチューリッヒやバーゼルを占領し、フランスを侵すこともできたろう。もしかしてヒトラーは、スイス人の勇猛果敢な抵抗を恐れたのか。ヴィルヘルム・テルという、ハプスブルク帝国からの独立戦争のときの伝説的英雄を守護神とする国だ。スイス人の愛国心と闘争心は侮れない。とはいえ小国の小軍。それが真の障害とまでは言いにくい。

　すると外交上の理由か。戦争が激化すればするほど、相手に降伏を勧めるのでも、自らが降伏を望むのでも、対話のチャンネルを開くのは至難の業だ。それなりの存在感のある中立国の仲介が欲しい。スイスは恰好だ。が、もっと大きくて生々しい理由があるだろう。お金だ。

「落ちつき先はどこだ？」と聞かれて「とりあえずスイスです。――彼女がほとんどの財産を、スイス銀行に送ったんです」と主人公が答える。今年の3月20日がちょうど刊行50年の記念日だった小松左京の小説『日本沈没』の一節だ。主人公の深海探査艇の操縦士は、資産家の娘を愛し、沈没間際の日本から共に逃げようとする。財産はスイスへ。小説や映画の定石中の定石。スイスは国際金融国家と永世中立国家の合わせ技に徹した。第二次世界大戦時も、敵味方が沢山のお金を預けていた。負ければ自国の通貨は紙くずだ。スイス・フランなりにしておけば安心。ヒトラーだって最後はスイスの預金が頼みだった。しかもスイスはお金を預かるだけではない。連合国にも枢軸国にも軍需品を売って儲けていた。ドイツがイタリアに軍用品を送る貨物列車の検査を甘くして、よろしく通してあげていたともいう。両陣営にギリギリのサービスを提供し、預金の秘密も守る。これぞスイスの信用創造だった。

しかし古き良き時代は終わったようである。永世中立国とは、世界を善と悪とで色分けするのには無理があるから、戦時には避難所となる聖域を作って中立を守るのが正しいとの哲学的前提の上に成り立つ。避難所に逃げてくるお金を分け隔てなく匿って何が悪いということでもある。けれど、金融経済のグローバリズム、つまり、隠れたお金の存在を許さずに全部を投資に回させようとする大波が、スイスという聖域にもさんざん被さってきていた。そこに昨年のロシアのウクライナ侵攻である。善悪は決めがたいから中立との論理にも引導が渡された。スイスは〝善なるＥＵ〟による〝悪なるロシア〟への制裁に加わって、ロシアの大口資産を凍結した。制裁を食らう可能性の少しでもある国々のお金はスイスからどんどん逃げ出している。

永世中立国の終わりの始まりだろう。世界は聖域や例外を許さなくなった。極東の戦争放棄国の運命や如何に？（2023/04/06）

Ⅶ

歴史はやはり繰り返すのか——嗚呼、ロシア・ウクライナ戦争

キューバ危機・ウクライナ危機・台湾危機

キューバ危機。ちょうど60年前の1962年の出来事。第三次世界大戦になりかけた。そのまた3年前の59年、キューバで社会主義革命が起きた。キューバには米国資本の大農園が多かった。キューバ人をこきつかってきた。革命政権は当然ながら農地解放政策をとる。米国は怒る。キューバに石油は出ない。米国に依存していた。そこを断ちに行った。81年前の日本が米国からの石油を断たれて切羽詰まったのと同じだ。キューバは慌てる。社会主義陣営の総本山、ソ連を頼る。ソ連は石油供給のみならず、軍事同盟ももちかける。キューバの指導者、カストロは乗った。ソ連の核ミサイル基地をキューバに設ければ、高慢ちきな米国も、慄《おのの》いておとなしくなるのではあるまいか。

ところが読みが甘かった。キューバの浮かぶカリブ海は、米国にとっての言わば絶対国防圏内。米国は英国から独立した国だ。大西洋の向こうから二度と干渉されたくない。おまけに米国は、20世紀初頭、太平洋への発展を期し、カリブ海の奥にパナマ運河を開削した。欧州諸国のカリブ海への関心も高まる。彼らに付け入らせるな。寄らば斬るぞ。

米国が20世紀に入って急激に軍事大国化した大きな理由は、カリブ海にあったとも言える。そこにソ連が手を突っ込む。核兵器さえ持ってくる。断じて許せない！

　今度のウクライナ危機は、やはりキューバ危機に似る。ロシアにとってウクライナは、米国のカリブ海なのだから。

　13世紀、チンギス・ハーンの孫の率いる騎馬軍団が、モンゴルからウクライナに続く大草原を、東から西へと押し寄せて来た。恐らくウクライナ人とロシア人の共通の先祖が建てていたのだろう、今日のウクライナの首都、キエフを中心とする国家を征服した。といっても、モンゴル人は寒すぎる土地には深入りしなかった。支配の仕方は南よりも北がゆるやかだった。キエフの辺りに居るウクライナ人の先祖よりも、寒いモスクワの方に集まったロシア人の先祖の方が、多少は勝手ができた。征服王朝とよろしくやりながら力を蓄え、約240年後、モンゴル人を追い出した。

　けれど、ロシアとウクライナは元の鞘に収まらなかった。モスクワだとナポレオン軍もナチス・ドイツ軍も冬将軍で退けられたが、ウクライナの大草原ではそうもゆかない。東からのモンゴル勢の次は、西からのポーランド勢が居座った。ウクライナの特に西部は文化的に西欧化・中欧化していった。先祖が同じだとしても、ロシアとはもう仲間になれない。ウクライナに強い独立意識が芽生えた。

しかし、ロシアは独立大歓迎とは決して言えない。放っておくとすぐ敵が入り込む土地なのだ。ロシア帝国もソ連も必死にウクライナを版図に組み入れ、ソ連が崩壊してウクライナが独立した後も、ロシアは強引であり続けた。でも、ウクライナ・ナショナリズムは根強い。歴史を振り返っても、モスクワよりもキエフが東スラヴの本家本元ではないか。靡く必要なし。そんなウクライナを、キューバにとってのソ連のように、EUやNATOが後押しする。

キューバ危機のときは、人類滅亡戦争さえ辞さぬ、米国の猛反発を前にして、遠くからちょっかいを出したソ連が、キューバを半ば見捨てるように逃げ出した。絶対国防圏死守の意識に凝り固まった側の国が、より強引に振る舞うものなのか。台湾危機にも似た構図が窺えるかもしれない。

いずれにせよ、最後に酷い目に遭いがちなのは、強い思いを持ちながら国力がそれに伴わず、大国間の駆け引きに翻弄されてしまう国だろう。くれぐれも慎重に！（2022/02/10）

クラシック名曲入門　ロシア・ウクライナの巻

名曲は世につれ、世は名曲につれ。『クラシック名曲入門』の時間です。今日の1曲目は、ロシアのチャイコフスキーが1872年に作った交響曲第2番『小ロシア』。小ロシアとは、小ヘラスと大ヘラスを踏まえての14世紀の造語と言われます。ヘラスとは古代ギリシアのことですね。小ヘラスは面積ではより狭いギリシア本国を、大ヘラスはより広いイタリア等のギリシア植民地を指しました。したがって小ロシアとはロシア本国のこと。それは今日のウクライナを意味します。13世紀にモンゴルの騎馬軍団が来襲したとき、東スラヴ世界に国らしい国は現在のウクライナのあたりのキエフ大公国しかありませんでした。徹底的に攻め滅ぼされました。その後、キエフから見れば北の僻地のモスクワに、今日のロシアにつながる大ロシアが、モンゴル人と初めは宜しくやりながら勃興、約200年かけてモンゴル人を駆逐し、別の歴史を歩んでいた小ロシアを併合しにかかった。そのとき、ウクライナの人々は、かつての侵略者、モンゴル騎兵を真似て暮らしていました。コサックになっていた。大小ロシアの文明力は逆転していました。

　でもやはり小ロシアは大ロシアの原郷。ウクライナの民謡もあまりに美しく深い。チャイコフスキーはそれらに魅せられ、『小ロシア』と呼ばれる交響曲を書いたのです。ウクライナこそ本当のロシア。俺たちの故郷は俺たちのもの。小ロシア側からすれば甚だ迷惑な、大ロシア側の妄執は、とても根深い。そのことは、ロシアのムソルグスキーが1874年に作った『展覧会の絵』を聴けば、よく実感されましょう。このピアノの名曲はパリやローマを経巡った末、ロシアの魂の根源に辿り着き、壮大なフィナーレを迎えますが、その終曲の名は「キエフの大門」。モスクワでもサンクトペテルブルグでもない。どうしてもキエフ！

　もちろん、ロシア人のウクライナやキエフへの欲望は、歴史文化だけでなく、地政学にも由来します。リアルにはそちらの方が大きい。ウクライナの草原を制さねば、東から中国やモンゴル、西から欧米、南からトルコが押し寄せる。またもや蹂躙される。13世紀に一度滅亡させられている国に、ここまで守れば安心という観念はありません。そこで3曲目はロシアのリムスキー＝コルサコフのオペラ『見えざる街キーテジと聖女フェヴローニヤの物語』です。

この大歌劇は１９０７年、日露戦後間もなくに初演されました。伝説に基づいています。ヴォルガ川流域の森の中に、キーテジという聖なる都がある。モンゴルがロシアの街という街を破壊し尽くしたとき、キーテジだけが神に救われた。神の奇跡で外から見えない都市になった。侵略者は発見不能。モンゴル人が去っても不可視で不可侵のまま、神に選ばれたロシア人が今もそこで幸福に暮らしている！

でもどこか変。ロシア人が究極の安心を得られる絶対平和の見えない都市。それはやはりこの世のものではありますまい。侵略者に殺されたロシア人の行く天国の象徴でしょうか。国境線が長く地形的にも侵入されやすいロシアは、現世では決して枕を高くして眠れない。キーテジ伝説は滅亡恐怖症の裏返し。やられる前にやれ。予防措置は過激に。かの国は異常に怖がりだから極端に攻撃的なのでしょう。

では最後に、旧ソ連を構成したウクライナ社会主義共和国の大作曲家、リャトシンスキーの１９５０年の作品『再統合詩曲』を聴きましょう。ウクライナ独立派が第二次世界大戦中に蹶起し、ソ連に抗しましたが、結局〝再統合〟された。それを祝う国策音楽です。嗚呼、恐ロシヤ！（2022/03/10）

〝タタールのくびき〟再び？

アレクサンドル・ネフスキー。13世紀ロシア史の英雄だ。第二次世界大戦前夜のソ連でスターリンが持ち上げ、エイゼンシュテインが監督し、プロコフィエフが作曲した、名画『アレクサンドル・ネフスキー』も誕生した。そのクライマックスは、「氷上の戦い」と呼ばれる大スペクタクル場面。そこで勝利を収めるのは、もちろんネフスキーの率いるロシアの軍勢だ。では、敵として大敗するのは誰なのか。

ネフスキーは、キエフ大公国に従うノヴゴロド公国の主だった。キエフ大公国は現在のウクライナあたりに広がり、都はキエフ。ノヴゴロド公国はというと、現在のロシアのサンクトペテルブルグとモスクワの間にあるノヴゴロドが都。キエフ大公国から見れば北の辺境国だった。ネフスキーがノヴゴロド公の位に就いたのは１２３６年と伝えられる。彼は16歳。ちょうどその頃から、チンギス・ハーンの孫、バトゥの率いるモンゴル騎馬軍団が、カザフ高原を通り抜け、東スラヴ世界への大侵略を始める。圧倒的に強い。１２４０年にキエフ陥落。街は廃墟に。青年ネフスキーはキエフを助けて玉砕したか。違った。軍門に降った。そもそもモンゴル人は騎馬軍団さえ養えればよいらしい。貢物をしてくるのなら、他のことには寛容だ。当時の東スラヴ世界は既にキリスト教化され、コンスタンティノープルを〝総本山〟とする正教を信仰していた。信仰が守れるのなら、どうせ敵わぬ相手に、やせ我慢して挑む必要もない。キエフの轍を踏むな。ネフスキーは東方のモンゴルに臣下の礼をとり、西方の敵と戦う道を選んだ。

西方の敵？　ドイツやスウェーデンである。同じキリスト教徒だが、ローマ教会を信じ、正教を認めず、改宗を迫って、襲ってくる。実は入植地が欲しいだけなのに、ローマ教会の愛と正義をかかげ、聖戦論を唱える。東方からと西方からの侵略者。どっちがマシか。ネフスキーは東方と思った。モンゴル人を後ろ盾に徹底抗戦。氷ったチュド湖上での戦いでドイツ騎士団を撃滅する。その後、ネフスキーの子孫はモスクワに新たな国を発展させ、その勢力がモンゴル人を退治し、強国ロシアの歴史が始まる。

さて、プーチンは今年はじめ、東のカザフと西のウクライナで二正面作戦をする気にも見えた。かつてモンゴルが侵入してきたカザフ高原には、ソ連崩壊後、独立国のカザフスタン共和国ができ、そこでは親中派と親露派が争っていたが、1月に民衆暴動が発生。するとロシアが軍事介入。カザフでの親中勢力の増殖を、モンゴルのロシア支配の歴史を思い出させるものとプーチンが恐怖し、親中派一掃をはかり、中露対立に突き進むのか。そう思った。

が、違った。ロシアは、中国に近しいトカエフ大統領の政権を擁護し、ロシアと太いパイプを持つナザルバエフ前大統領の勢力をどうやら見限った。その経過に習近平が厚い支持を与えた。トカエフは2月5日に習近平と、同月10日にプーチンと会談。ロシア軍のウクライナ侵攻開始は同月24日。ここで、ウクライナの最大の貿易相手国が、米国でもEU諸国でもロシアでもなく、中国であると思い出してもよい。ウクライナもロシアもカザフスタンやベラルーシも、中国の一帯一路構想を支持してきたことも！

東スラヴ世界がアジアの騎馬民族に支配された何百年かを「タタールのくびき」と称する。その現代版にもなるかもしれない中国の大経済圏構想を受け入れて、ドイツ騎士団に相当するEUとNATOを退ける。プーチンがネフスキーで、習近平はバトゥ。歴史は繰り返すものなのです。(2022/03/31)

世界の周縁で「英米本位を排す」と叫ぶもの

足掛け5年に及んだ第一次世界大戦がついに休戦に至ったのは1918（大正7）年11月。そのとき、五摂家筆頭の貴族政治家、まだ20代の近衛文麿公爵が、挑戦的な時論を書き上げた。「英米本位の平和主義を排す」という。

近衛は言う。勝利者の英米は講和会議を前にいつもの御題目を唱えている。民主主義と人道主義と平和主義。あるいは自由と平等だ。それらは人類普遍の諸原則。守護神は英米。彼らはそう主張してやまない。ところがそこに野蛮国が挑戦した。ドイツである。専制主義と軍国主義を奉じ、実力による国際秩序の変更を厭わず、毒ガスを使い、一般市民までも殺戮し、潜水艦で貨客船さえ沈める。今度の大戦は明らかに善と悪の戦い。ドイツは人類の敵。犯罪者だ！

そんな英米の連日のプロパガンダは正しいか。近衛は考える。確かに民主や平和は尊い。だが、英米は本当にその象徴なのか。英国は世界の海を制し、広大な植民地を食い物にして、余裕ある本国の暮らしを実現してきた。米国はというと、新大陸を占拠し、豊富な天然資源と移民による十二分の人口を得て、旧世界を生産力・資本力で圧倒しようとしている。英米はいずれも極端な勝ち組だ。彼らは、自国の版図については既に足るものを有しているので現状の変更を望まず、一方、市場についてはいっそうの拡大を望んでいる。その欲望を〝平和的〟な手段で追求できるアドバンテージを英米はたっぷりと有している。

かくて近衛は断ずる。「英米人の平和は自己に都合よき現状維持にして之に人道の美名を冠したるもの」に過ぎない。英国の大作家、バーナード・ショーも自国をこう評しているではないか。英国人は野心を正義の包装紙で包むのが上手。「強盗掠奪を敢てしながらいかなる場合にも道徳的口実を失わず、自由と独立を宣伝しながら殖民地の名の下に天下の半を割いて其利益を壟断しつゝあり」

そんな英米は、講和会議でも欲望を美名に隠してますます追求するに違いない。米国のウィルソン大統領が新設を唱える国際連盟とは、きっとそういうものだろう。もちろん、ドイツの残虐非道は糾弾されるべきだ。しかし、先に富んだものが「金持ちは喧嘩せずとも別の方法で相手を黙らせられる」との理屈を平和主義にすりかえ、善を独占するのは如何なものか。「盗人にも三分の理」。この危うい台詞を全否定するばかりでは、敗戦国を怨念の塊にし、戦後世界に恐怖はかえって増すだろう。

ところがと、近衛は述べる。「我国近時の論壇が英米政治家の花々しき宣言に魅了せられて、彼等の所謂《いわゆる》民主主義人道主義の背後に潜める多くの自覚せざる又は自覚せる利己主義を洞察し得ず」。そのような了見では、生き馬の目を抜く国際社会でとても生き残れまい。日本危うし。

このあとの近衛は一皮も二皮も剝けた。でも大正7年秋の、英米に後れをとるアジア人としてのやるせない気持ちを、けっきょく拭い去れなかったろう。日中戦争や日米戦争にこの国が突き進むときの首相が近衛であったことにはやはり意味がある。本人の志と違ったとか、軍部に引きずられたとかでは済むまい。何だか挑みたかったのだ。そして日本は第一次世界大戦のドイツ以上の敗北を喫した。

今、「英米本位の平和主義」は、改めて強力な挑戦を受けているように見える。日本ほど、そうしたくなる情念と、その後始末の難しさを知っている国はなかなかあるまい。平和のための独自な発信と行動があって然るべきではないでしょうか。でなければ、この国の歴史が泣きます。（2022/04/28）

コサック・マッチョ・大統領

日露戦争で日本人は誰と戦ったか。たとえば旅順要塞の攻防戦。乃木希典将軍率いる攻城軍は約1万5000もの戦死者を出した。はて、敵の総大将は？　軍歌『水師営の会見』は「敵の将軍ステッセル」とうたう。が、ドイツ系の彼は名ばかり司令官と言ってよかった。巧緻な要塞防衛戦を指揮し、日本軍を苦しめたのは、ウクライナ人のコンドラチェンコ少将だろう。常に最前線に出て、兵を叱咤激励。彼の居る限り旅順は落ちぬ。神話が生まれた。が、前線視察中に戦死。ロシア軍は意気阻喪。陥落に結びついたという。

その要塞に守られた旅順軍港を本拠にしていたのは、ロシア海軍の太平洋艦隊。司令長官はマカロフ提督。彼もウクライナの黒海沿岸部の出だ。大胆な艦隊運用と常に危地に飛び込む果敢さで世界に知られた。東郷平八郎提督も彼の崇拝者だった。が、やはり率先指揮が祟り、マカロフは旅順港外で戦死。東郷が日本海海戦で艦列の先頭を行く旗艦三笠に座乗し、大胆きわまる敵前大回頭をやってのけたのは、マカロフ精神の継承であったろうか。その流れに最前線の機上で戦死した山本五十六提督を発見できもする。

そして日露戦争と言えば、秋山好古将軍とミシチェンコ将軍の騎兵戦だ。満洲の内陸では、遼陽、沙河、黒溝台、奉天と大会戦が続き、馬が活躍した。ミシチェンコはまたもウクライナ人。率いたのはコサック騎兵であった。

コサックとは、大国のロシアやポーランドにまつろわないで、辺境に流れ、自治独立を求めた社会集団の名だろう。今日のウクライナやロシア南部がコサックの本場。民族的にはロシア人もだがウクライナ人が多かった。海賊や馬賊をした。傭兵にもなった。戦闘一筋。勇猛果敢。日本の武士とありようが近い。ただしコサックの統領は征夷大将軍と違って血統で決まらない。民主的に選挙し、当選者に絶対の強権を与える。今日の強力な大統領制に近い。現代のウクライナやロシアに議会政治が育ちにくく、大統領が突出するのは、コサックの伝統と関係があるかもしれない。

それはともかく、さすがのコサックもやがてロシア帝国に屈服し、皇帝の軍隊や警察に組み込まれてゆく。ロシアが近代化してゆき、国民皆兵になっても、軍事集団としてのコサックは専門性を買われてなおも生き残る。近代日本陸海軍に武士集団が別格で居残っているような具合だ。そうそう、コサックの世界では先頭に立って戦う者ほど尊敬され、選挙で票を集める。19世紀ロシアでは勇猛なコサックこそマッチョの象徴とされた。ゴーゴリの『タラス・ブーリバ』は、常に先頭で戦うウクライナのコサックの英雄を理想化した小説だろう。しかもコサックは馬賊と海賊を兼ねるから、陸海軍両方に通じる。日露戦争での敵方の主軸にウクライナの人々が目立つのは偶然ではない。彼らはコサック精神の体現者としてロシア軍の中枢にいた。

ところで『タラス・ブーリバ』の描く吶喊《とっかん》突撃精神に涵養された、ロシア陸軍のロシア人将軍に、日露戦争時の満洲派遣軍総司令官、クロパトキンが居る。彼は日露開戦の前年に訪日。陸軍士官学校では生徒の障害物競走を観戦し、激走する日本青年の姿に大興奮。1着の生徒に抱き着き、士官学校の教官たちを仰天させたという。この事件が陸軍の将校教育の方針を変えたとの伝説もある。頭を使うよりも先頭を突っ走れ！　陸軍にコサック精神が感染し、昭和の戦争での一種の乱暴さにまでつながるという筋書きだ。

コサックの本場でのマッチョな大争乱は、世界を、そして日本を、今度はどこまで連れて行くのでしょうか。（2022/05/05）

北の幻――北樺太石油利権と日ソ大同盟

日中戦争は第一次近衛文麿内閣の時代の1937（昭和12）年7月に始まった。日本はすぐ勝てると思った。が、間違いだった。首相が平沼騏一郎、阿部信行、米内光政と替わっても続く。まる3年経った40（昭和15）年7月、総理の座は再び近衛へ。外相は松岡洋右になる。なぜ戦争は終わらない？　重慶の蔣介石政府を米英が軍事支援しているからだろう。米英を引っ込ませられれば！　近衛と松岡には究極のアイデアがあった。日独伊にソ連の4か国大同盟である。欧州大戦は始まっており、大英帝国はじきにヒトラーに白旗を掲げるだろう。独ソの関係は良好に見えていた。ここで日独伊ソが結束すれば、さすがの米国もアメリカ大陸に引き籠らざるを得まい。蔣介石も降参するに違いない。

日独伊三国同盟は40年の秋に結ばれた。あとはソ連である。41（昭和16）年3月12日、松岡外相は独伊ソ歴訪に出発する。主眼は日ソ中立条約の締結。本当は、互いが互いを攻撃せぬだけでなく、片方が敵とする国をもう片方が助けぬ約束を含む不可侵条約を結びたい。しかし、ソ連のモロトフ外務人民委員は、そのためには日ソ関係を大胆に深化させねばならぬという。日本領の南樺太や千島列島の幾らかを譲れということだ。無理なら中立条約が限度。ただし中立条約でも、日本がソ連領の北樺太に有する利権を手放すことを最低条件とする。モロトフは強硬だ。松岡は困った。

北樺太に何があるか。1880（明治13）年に有望な油田が発見された。日本では海軍が興味を示した。日露戦争の後、艦船の燃料は石炭から石油へと転換する。ところが朝鮮にも台湾にも満洲にも満足な量の石油が出ない。日本はロシア革命の混乱に乗じて北樺太を占領した。あわよくば領土に編入しようとした。棚から牡丹餅を狙った。しかし、革命は日本の予想を裏切り、ソ連は旧ロシア領を纏め直してゆき、日本は北樺太から兵を退くしかなくなった。けれど、油田の権利を新生ソ連に認めさせた。昭和初期には日本の石油消費量の1割以上が北樺太からの輸入になった。米国から石油を切られたときの頼みの綱と期待されもした。

北樺太を割譲してくれれば日ソ友好の大礎石になる。松岡はスターリンに直訴するが、突っぱねられる。石油は惜しいが、日独伊ソ連合の大構想も手放せない。41年4月13日、松岡はスターリンに「北樺太の利権を数か月以内に解消するように努力する」という趣旨の密約をさせられたうえで、中立条約の調印にこぎつけた。そうしたら6月下旬にドイツがまさかの対ソ開戦！　松岡の大構想はたちまち瓦解。でもソ連は北樺太問題どころではなくなった。日本はドイツの勝利を期待する。今度こそ棚から牡丹餅だ！

だが、またも期待は裏切られる。ソ連は思いのほか強い。対日外交の余裕も取り戻し、43（昭和18）年から密約の履行を迫る。実はその頃、北樺太の油田はボロボロだった。前からの油井は涸《か》れてくる。近くを掘ればまだまだ出るとは分かっているが、ハイリスクのソ連だから日本企業の腰が引ける。新規の投資が難しい。ソ連の嫌がらせで採掘全般がやりにくくなってもいる。産出量は最盛期の約30分の1に落ち込んでしまっていた。夢破れて油なし。44（昭和19）年3月、対米戦争下、石油事情の逼迫する日本は、最悪のタイミングで、北樺太の利権を返上する。中立条約がまだ有効というのに、ソ連が対日参戦するのは、それから17か月後である。

北樺太石油利権の夢よ、再び。松岡洋右の日ソ親善の夢も再び。そんな戦後の企てがまたも空しく崩れてゆきそうな今日この頃。つくづく懲りない国なのでございましょう。

（2022/07/21）

逆回転するロシア・ソビエト史

ソヴィエト連邦の最後の指導者、ミハイル・ゴルバチョフといえばペレストロイカである。再構築や改築といった意味だろう。しかし、彼が、アンドロポフ、チェルネンコの後を受け、1985年にソ連共産党書記長に就任してまず掲げたのは、確か別のスローガンだった。アンドロポフも唱えていたウスコレーニエである。加速化の意だ。近年、日本の政治家が良く使う「スピード感を持って」に似る。

何を加速化したかったのか。民需品の質を上げ、量を増やすスピードであろう。ソ連経済は、ブレジネフ時代以来、軍需と民需の不均衡度を増していた。何しろ東西冷戦期。核兵器から戦車まで、数も性能も西側を凌いでいなければ安心できない。とにかく軍需が最優先。実際、米国がカーター大統領だった80年前後には、東側の戦力は西側を圧倒していると言われもした。だが、ソ連の国力からすればいかにも無茶。皺寄せは民需に行く。市民生活は貧しくなる一方。民衆の不満は体制を揺るがしかねない。

ゴルバチョフはどうする？　軍国経済の破綻を認めるしかない。軍事費を減らし、軍需から民需への転換を加速する。米国と仲良くすればそれは可能だろう。融和的な外交を始める。だが、軍需優先で回っていたソ連の産業界は新書記長の加速化政策をせせら嗤う。そのとき事件は起こる。86年のチェルノブイリ原発事故だ。ソ連の軍事力は世界第一級！　とすれば、それを支える科学技術、特に軍事と民生にまたがる原子力関係も第一級のはず！　そんな超大国の自信が吹っ飛んだ。ゴルバチョフはこの大事故をウスコレーニエの追い風にしようとし、新スローガンを加える。グラスノスチだ。情報公開性を高めるということだ。原発事故の真相も、事故を呼び込んだろう産業界の腐敗や停滞も、国家機密にせずに赤裸々にし、世論を喚起して百家争鳴状態を作り出し、抵抗勢力を黙らせ、ウスコレーニエを推進する。まるで毛沢東の文化大革命の真似だ。

けれどもグラスノスチの威力はゴルバチョフの想定を超えた。軍需過多を改めればソ連は共産党の一党支配を維持しつつ立ち直れる。そんなつもりだったのに、百家争鳴状態は、共産党の独裁や国営企業の独占を改めぬかぎりソ連に未来なしという方向に勢いづき、ついにペレストロイカなるスローガンが前面に出るに至った。多党制を導入し、国営企業を民営化してゆくことで、ソ連の再構築を図るという。緩やかな社会民主主義だろう。しかし、冷戦をやめて西側と融和し、しかも人民が西側の消費文明への憧れを抑えがたいなら、社会民主主義くらいでは収まるはずもない。

その先に起きたのはロシア・ソ連史の逆回しである。資本主義を従える強力な帝政から、１９０５年の第一次ロシア革命によってブルジョワ資本家と帝政が手を携える時代に入り、17年の第二次ロシア革命でメンシェヴィキ等による社会民主主義的政権が成立し、ついでボリシェヴィキ独裁によるソ連誕生となる。この流れがひっくり返る。ゴルバチョフがボリシェヴィキからメンシェヴィキへと巻き戻す。次のエリツィンは、第一次革命と第二次革命のあいだの有様に似た、大統領権力と資本家がよろしくやる時代にまで、更に巻き戻す。そのまた次のプーチンとメドヴェージェフはというと、強力な帝政期の再現に向かう。強権の前に資本家も誰も跪《ひざまず》かせようとする。

結局、ゴルバチョフが加速化させたのは歴史の亡霊の蘇《よみがえ》りだったのか。世界はついに帝国主義の時代にまで引き戻され、これでは日露戦争さえ再現されかねません。(2022/09/15)

悪魔主義・世の終わり・Z氏

プーチン政権応援団の最右翼といえば、テレビ・キャスターのウラジーミル・ソロヴィヨフ。歴史を遡ると、彼と同姓同名の大思想家が居る。１８５３（嘉永6）年にモスクワで生まれ、日露戦争の始まる4年前の１９００（明治33）年に、西欧と中国と日本をロシアの脅威とみなし、警鐘を鳴らしつつ逝った。ソロヴィヨフの影響は近代日本にも及んだ。たとえば、東京裁判でA級戦犯となった思想家、大川周明。東洋と西洋の代表国による大戦争によって世界史が決着するという〝東西対抗史観〟を唱えたが、その着想の源はソロヴィヨフという。確かにソロヴィヨフには、彼がモンゴル的と一括して呼ぶ日本と中国、カトリックとプロテスタントをひっくるめての西のキリスト教、そしてロシアを中心とする東のキリスト教の、三つ巴の葛藤で、世界史の展開を読もうとする癖があったろう。

ソロヴィヨフは、西方のキリスト教世界が数々の悪を既に派手に実践してきたと説く。第1の悪は世界を力ずくでキリスト教化するのが正義と考えたこと。宗教の内なる静謐さを忘れ、政治力や経済力を獲得する道具とし、布教と植民地主義とを一体化させた。第2の悪は人間の理性を万能と勘違いしたこと。これは特にプロテスタントに始まる。ルターやカルヴァンを見よ。自分の知恵に頼って、聖書を独自解釈し、神の教えをすべて人間の理屈で分かると、驕ったのではないか。理屈を超えた聖なる次元への畏怖がなくなる。以来、真理や正義を神になり代わって偉そうにお手軽に唱える輩が西方世界に続出し、現在に及ぶ。

するとロシアを含む東方キリスト教世界は？　魂の内側で一所懸命に神やキリストに憧れ、霊格を高めようとする古風な信心がまだ生きている。良くも悪くも近代的自我や無限大の欲望や理性万能主義に目覚めていない。遅れているとも言えるが、その分、西方的な狡猾な悪に染まっていない。東方は西方に染まってはならない。しかし歴史は過酷に進展するだろう。モンゴルの暴虐が再び世界を襲うこともあろう。21世紀になると、西方キリスト教世界からついに、世の終わりをもたらす存在と聖書に記された、アンチキリストが現れるだろう。それは個人とは限らない。集団的に出てくる。一種の贋キリストだ。人類を合一させ至福千年の時代を齎せるかのような愛や正義や法のまがいものをもっともらしく説き、実際には第1と第2の悪を並外れて再現し、世界に押し広げようとする。モンゴル的なるものやロシア的なるものと激突する。世の終わりだ。でも、最後の審判でアンチキリストの側は地獄に落ち、東方のキリスト教徒は天国に行く。これでいいのだ！

プーチン大統領はウクライナ東・南部4州併合を宣言する演説で、西方キリスト教世界を、人間性や信仰や伝統を完全に否定する、悪魔主義と新植民地主義に従っていると非難した。国家総動員の段階に来ると、神がかった言動が増えるのは、先の大戦の日本を振り返れば自明だけれど、用いられる論理や語彙が、近代ロシアにおける終末思想の白眉たるソロヴィヨフに似るところがどうしても気になる。大統領はドストエフスキー好きと聞く。思想的に近いソロヴィヨフも読んでいるのではなかろうか。

そういえば、ソロヴィヨフが没年に刊行した小説仕立てのいわゆる『世界終末論』に、著者の分身として現れ、アンチキリストの登場と世の終わりを懇々と説く人物の名は、Z氏と言った。今回の戦争でロシア軍を象徴する文字とされているZって、もしかして終末宣言でしょうか。（2022/10/27）

バフムトとは俺のことかと長沙言い

阿南惟幾将軍は焦っていた。湖南省の省都、長沙を何としても陥落させたい。ときは1941（昭和16）年12月。日米開戦直後。4年後には陸軍大臣としてポツダム宣言受諾に反対し、自決することになる阿南は、華中に展開する第11軍の司令官だった。第二次長沙作戦に打って出た。

日本と結ぶ汪兆銘が政権を構える南京と、抗日一筋の蔣介石が拠る重慶との、ちょうど真ん中あたりに長沙はある。屈原や賈誼《かぎ》や杜甫のゆかりの地。『三国志演義』ではその町を関羽が攻略した。阿南はというと1941年9月に第一次長沙作戦を敢行していた。日中戦争が始まって5年目。長沙はなお蔣介石の支配下にあった。薛岳《せつがく》将軍の率いる数十万の大軍が湖南省を守る。兵の数では第11軍の方がはるかに劣勢。湖南省占領は夢のまた夢。大陸の広さに対し、日本軍の動員力は限界に達していた。が、阿南の常なる模範は、第一次世界大戦でのタンネンベルク戦役。ドイツ軍が兵数でも補給の面でも劣勢なのに、ヒンデンブルク将軍の優れた統率のもと、勇猛果敢、電光石火でロシアの大軍を包囲殲滅した。阿南はヒンデンブルクになろうとし、それはけっこうツボにはまった。包囲戦で蔣介石軍に大打撃を与えた。長沙も落とした。けれど長沙も含めて占領地を維持するだけの兵力がない。すぐ全面的に兵を返した。

が、重慶政府はプロパガンダ上手。自主的に退いたと日本は言うが、それはフェイクだ。阿南の軍は長沙に居座りたかったのに、薛岳の麾下の精兵に追い出されたのが真相。湖南省は日本軍の墓場！　でも最新兵器が足りぬので、反転攻勢のために応援よろしく！　米英の特派員が世界に伝え、長沙は日本軍の限界を嘲笑う象徴的場所となった。阿南の面目は丸つぶれ。雪辱だ！　かくて第二次長沙作戦が始まった。強引に突如としてトップダウンで。準備がない。弾がない。第一次作戦から間もないので兵も疲れている。でも阿南は怯まない。精神力で突破せよ。阿南語録から引く。「補給困難ナドハ理由トシテ採用セズトテ進攻ヲ断行セリ」「唐太宗ノ曰ク二日食ワザレバ戦必ズ勝ツ」。

対して蔣介石軍は、やはり豊富な人口のおかげか、短期間で兵員数を回復していた。長沙を要塞化し、道路を障害物で埋め、縦深に陣地を張り巡らし、待ち構えていた。第11軍は相手を包囲殲滅するつもりが、おびき出されては敵の術中にはまり、逆に包囲殲滅されかけ、敗走した。阿南がその後も出世街道を外れなかったのはやや不思議である。

日中戦争は北京の盧溝橋で１９３７（昭和12）年に始まり、山西省の太原、江蘇省の南京や徐州、湖北省の武漢、江西省の南昌などに急テンポで広がった。が、湖南省で日本軍は進みあぐね、泥沼化した。あとは１９４５（昭和20）年まで、その地が長く日中戦争の主戦場だった。押したり引いたり。兵のみならず民衆の犠牲も膨大。流れた血と涙が半端でない。

台湾は親日的という。が、湖南省で蔣介石に従って抗日戦を勝ち抜き、その後、台湾に逃れた大勢の人々の日本を赦せぬ思いは、世代を越えて今に伝わるとも聞く。中華民国の前総統で日本には冷たいと言われ、親大陸派と目される馬英九の祖籍も湖南省。総統経験者として初めて中華人民共和国を訪れた馬は、４月１日、湖南省に入り、祖父の墓前で感極まった。その映像に接し、どうも心がざわつく。湖南省に宿る抗日の記憶が大陸と台湾の幾許かの懸け橋になりうるのではないか。日本を共通の敵とイメージして、中台関係が軟着陸することさえあるかも。妄想ですが。とにかく己に都合のいいところばかり観ていてはいけません。(2023/04/13)

片山杜秀　1963（昭和38）年、宮城県生まれ。思想史家、音楽評論家。慶應義塾大学法学部教授。『音盤考現学』『音盤博物誌』『未完のファシズム』『国の死に方』『尊皇攘夷』など著書多数。

Ⓢ新潮新書

1021

歴史《れきし》は予言《よげん》する

著　者　片山杜秀《かたやまもりひで》

2023年12月20日　発行
2024年１月25日　２刷

発行者　佐　藤　隆　信

発行所　株式会社 新潮社

〒162-8711　東京都新宿区矢来町71番地
編集部(03)3266-5430　読者係(03)3266-5111
https://www.shinchosha.co.jp
装幀　新潮社装幀室

印刷所　大日本印刷株式会社
製本所　加藤製本株式会社

ISBN978-4-10-611021-4　C0221

Ⓢ新潮新書

1018
貧乏ピッツァ
ヤマザキマリ

極貧の時代を救ったピッツァ、トマト大好きイタリア人、世界一美味しい意外な日本の飲料、亡き母の思い出のアップルパイ……食の記憶と共に溢れ出す人生のシーンを描く極上エッセイ。

1019
大常識
百田尚樹

どう考えてもおかしいやろ。政治家、自称リベラル、人権派、ワクチン礼賛……非常識に満ちたこの世界に、今こそ必要なのは「大いなる常識」だ。ベストセラー作家が振るう怒りの鉄拳！

1020
世帯年収1000万円
「勝ち組」家庭の残酷な真実
加藤梨里

タワマンや高級車なんてもってのほか！　カツカツの生活を耐えしのんだ先に待つのは「所得制限」と「老後不安」だった。「勝ち組」家庭のシビアなお金事情を徹底分析。

1016
すごい健康法
名医・専門家に聞く
週刊新潮編

健康本を何冊も買う必要なし、解決策を一挙掲載！　健康寿命をおびやかす病気や不調について、13人の名医とプロフェッショナルが最新の知見を活かした健康新常識と実践法を伝授する。

1017
男と女
恋愛の落とし前
唯川恵

不倫はすることより、バレてからが本番——36歳から74歳まで12人の女性のリアルな証言を恋愛小説の名手が冷徹に一刀両断。珠玉の名言にあふれた「修羅場の恋愛学」。